D1248957

REJETÉ
DISCARD

38.054
BEA

DE L'AUTRE CÔTÉ DU PONT

DU MÊME AUTEUR

CHRONIQUES DE MAI 68 (*Paris Notebooks*), essais traduits par Françoise Barret-Ducrocq, Deuxtemps Tierce, 1988.

RUE DE LILLE (*Overhead in a Balloon*), nouvelles traduites par Pierre-Edmond Robert, Deuxtemps Tierce, 1988.

LES QUATRE SAISONS (*From the Fifteenth District*), nouvelles traduites par Pierre-Edmond Robert, Fayard, 1989.

L'ÉTÉ D'UN CÉLIBATAIRE (*My Heart is Broken*), nouvelles traduites par Jean Lambert, Fayard, 1990.

VOIX PERDUES DANS LA NEIGE (*Home Truths*), nouvelles traduites par Éric Diacon, Fayard, 1991.

VOYAGEURS EN SOUFFRANCE (*The Pegnitz Junction*), nouvelles traduites par Suzanne Mayoux, Deuxtemps Tierce, 1992.

CIEL VERT, CIEL D'EAU (*Green Water, Green Sky*), roman traduit par Éric Diacon, Fayard, 1993.

Mavis Gallant

DE L'AUTRE CÔTÉ DU PONT

nouvelles

traduites de l'anglais (Canada) par
GENEVIÈVE DOZE

Fayard

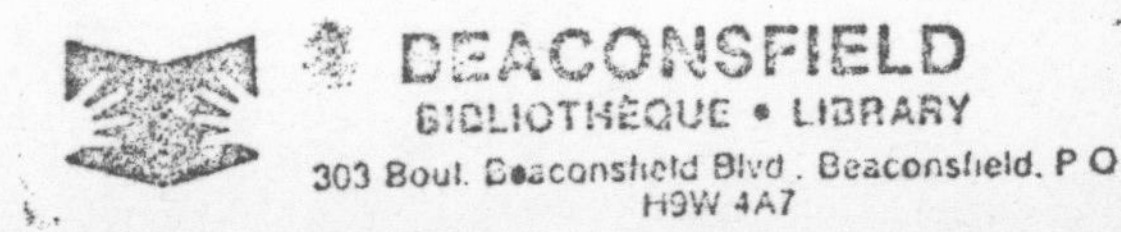
DEACONSFIELD
BIBLIOTHÈQUE • LIBRARY
303 Boul. Beaconsfield Blvd. Beaconsfield, P Q
H9W 4A7

Cet ouvrage est la traduction intégrale, publiée pour la première fois en France, du livre de langue anglaise :

ACROSS THE BRIDGE

édité par Random House, New York.

© Mavis Gallant, 1993.
© Librairie Arthème Fayard, 1994, pour la traduction française.

FR18, 502X

A
Kitty Crowe

1933

Environ un an après la mort de M. Carette, les trois survivantes de sa famille — Berthe, sa petite sœur Marie et leur mère — furent obligées de quitter l'appartement confortable au-dessus du magasin de meubles, rue Saint-Denis, et de s'installer dans un logement plus réduit. Il leur restait des moyens : l'indemnité d'assurance et le produit de la vente du magasin, mais l'acquéreur n'avait pas encore réglé l'achat et il fallait qu'elles fassent attention.

On envoya une partie des lampes, des tables basses et des fauteuils rembourrés à des parents, étant entendu qu'ils les rendraient quand les petites filles, devenues grandes, se marieraient. Quant au reste, il fut transporté par deux hommes, petits et voûtés, au deuxième étage d'une maison en pierre, rue Cherrier, près de l'Institut des sourds-muets. Ces hommes effectuèrent le déplacement à l'aide d'un vieux cheval et d'une charrette. Ils expliquèrent à Mme Carette qu'ils n'avaient jamais travaillé hors de ce quartier : ils ne connaissaient qu'une quarantaine de rues de Montréal, mais celles-là, à fond.

Le jour du déménagement, il tombait une neige molle, comme une dentelle grisaillante. Une bâche rapiécée protégeait le canapé bordeaux des Carette, bordé d'une frange en soie, le lit de cuivre des enfants, celui en noyer de leur mère, sculpté de coquilles Saint-Jacques, et la table ronde en chêne, plus petite que l'ancienne, sur laquelle désormais elles prendraient leurs repas. Mme Carette expliqua à Berthe que l'époque où elle recevait et cuisinait des plats fins pour les invités était révolue. Elle avait vingt-sept ans à peine.

Elles attendirent les déménageurs dans leur nouveau logis, dans des pièces vides, méticuleusement récurées. Elles avaient déjà étalé des feuilles de *la Presse* sur le parquet, au cas où les hommes laisseraient des traces de neige. Les rideaux étaient pendus, les stores couleur crème à demi tirés devant les fenêtres à guillotine. Le charbon avait été livré et entassé dans l'appentis derrière la cuisine. Le fourneau et le poêle rond et trapu de la salle à manger diffusaient des flots de chaleur métallique et dense.

Leur ancienne habitation était proche. Le parc Lafontaine, où l'on avait souvent emmené jouer les enfants, était juste au bout de la rue. En faisant quelques pas de plus, Mme Carette pouvait continuer à se fournir chez le même boucher, le même épicier. Les mêmes traîneaux allaient livrer le pain, le lait et le charbon. Pourtant, à cause des calmes maisons en pierre, de la faible densité de la circulation et des magasins, on se serait cru en terre étrangère, rue Cherrier.

Le changement, la mort, l'absence — ces mystères de grandes personnes — tenaient les enfants éveillées. Depuis leur nouvelle chambre, elles entendaient à l'aube le tintamarre du premier tramway — un accord électrisant, métal contre métal, qui allait en s'affaiblissant. Elles auraient sauté du lit pour s'habiller aussitôt, mais c'était encore le milieu de la nuit pour leur mère. Peu après, un autre bruit, continu celui-là, passait dans les rues qui s'animaient, comme un murmure de feuilles. De ce bruissement confus émergeaient des impressions distinctes : un réveille-matin, la voix d'un homme, une radio. Marie avait envie de parler et de chanter : il fallait que Berthe invente des histoires pour la faire taire. Il lui arriva de mettre la main sur la bouche de Marie et de se faire mordre méchamment.

Elles dormaient sur un matelas de crin avec une face pour l'été, l'autre pour l'hiver ; on le retournait deux fois par an. Les admirables piqûres qui bordaient les draps et les oreillers étaient l'œuvre de leur mère. Elle avait commencé à coudre son trousseau à l'âge de onze ans ; le début de sa vie avait été consacré à préparer ses noces. Au-dessus du lit des fillettes était suspendu un crucifix doré avec un rameau de buis desséché censé représenter les palmes pascales de Jérusalem.

Marie avait peur d'aller aux toilettes seule dans le noir. Berthe lui demanda si elle s'attendait à voir le fantôme de leur père, mais les idées de Marie n'étaient pas claires : elle ne savait pas encore si fantôme et obscurité signifiaient la même chose. Il fallut que Berthe se lève la nuit pour l'accompagner au bout du couloir. La lumière du vestibule brillait dans une tulipe de verre bleu posée sur une colonne peinte en faux marbre. Berthe parvenait juste à l'atteindre sur la pointe des pieds ; Marie n'y arrivait pas du tout. Marie aurait volontiers laissé ouverte la porte des toilettes pour ne pas être seule, mais Berthe savait qu'une telle intimité n'était pas convenable. Bien que sa première communion eût été retardée parce que Mme Carette souhaitait que les deux sœurs se présentent ensemble à la sainte table, elle avait fait un exercice de préparation à la confession. Malheureusement, elle s'était rapidement trouvée à court de péchés fictifs. Son confesseur semblait penser qu'il devait y en avoir d'autres : il demanda si elle et sa petite sœur ne s'étaient jamais trouvées ensemble dans une salle de bains avec la porte fermée et l'avertit du risque de faute grave.

En retournant se coucher, Berthe décrocha un calendrier avec l'image d'une famille de lapins faisant du toboggan. Elle fit semblant de lire des histoires à propos de ces lapins et bientôt, elle et Marie s'endormirent toutes les deux.

Elles ne voyaient jamais leur mère en peignoir. Dès que Mme Carette se levait, elle enfilait des vêtements couleur de demi-deuil — mauve, gris tourterelle. Ses cheveux blonds étaient raidis à coups de brosse et contenus dans une résille. Elle brossait tout : les cheveux, le sol, les coudes des petites, les chaises de cuisine. Son parfum, c'était le savon Palmolive et l'eau de Cologne.

Quand elle se penchait pour embrasser les enfants, un camée se balançait au bout d'une chaîne. Elle apprit aux fillettes qu'il ne fallait pas mentir, montrer du doigt, manger gloutonnement, découvrir ses jambes au-dessus du genou, laisser des traces de doigts sur les vitres ni toucher les rideaux du petit salon — le moindre contact pouvait froisser la dentelle, expliquait-elle. Elles apprirent à dire en anglais « Je ne comprends pas », « Je ne sais pas » et « Non merci ». C'était tout l'anglais dont on avait besoin entre la rue Saint-Denis et le parc Lafontaine.

Dans la salle à manger, où elle avait installé sa machine à coudre, Mme Carette cessa d'actionner la pédale et posa une main sur la roue immobilisée. « Que faites-vous dans le petit salon ? cria-t-elle. Touchez-vous les rideaux ? » Marie venait de cracher sur la vitre et était en train de passer son doigt dans la salive. Berthe, qui essayait de nettoyer le barbouillage avec son jupon en finette, répondit : « Marie est seulement venue dire "Sainte Marguerite, priez pour nous." »

Le rez-de-chaussée était occupé par M. Grosjean, le

propriétaire, avec sa femme irlandaise et un chien airedale qui s'appelait Arno. Arno comprenait l'anglais et le français; Mme Grosjean ne parlait que l'anglais. Elle aimait Arno et avait peur qu'il se sauve : c'était un chien nerveux qui avait besoin d'être occupé sans arrêt. M. Grosjean l'emmenait de temps en temps au parc Lafontaine où ils jouaient à retrouver une balle de tennis dégonflée et mordillée. Arno avait été dressé à obéir aussi bien à «Cherche-la!» qu'à «Go fetch it!», mais il n'accordait d'attention ni à l'un ni à l'autre. Il courait en emportant la balle et il fallait que M. Grosjean le poursuive.

Mme Grosjean se mettait sur le pas de sa porte derrière la maison, juste en dessous de la fenêtre de la cuisine des Carette, en tenant la pâtée d'Arno. Elle gémissait : «Arno, où es-tu passé?» M. Grosjean l'avait probablement emmené faire un tour. Il avait pour règle de ne jamais dire où il allait, pensant qu'il n'était pas souhaitable que les femmes en sachent trop.

Mme Grosjean et Mme Carette avaient le même âge, mais elles ne devinrent jamais amies. Mme Carette ne prononçait en anglais que quelques expressions négatives (pour dire «Non merci» et «Je ne sais pas» et «Je ne comprends pas»), si bien que Mme Grosjean ne parvenait pas à lancer la conversation. Mme Carette toucha un mot à Berthe au sujet des mariages irlandais : ceux-ci, tout en n'étant pas souhaitables, ne méritaient pas d'être méprisés. Les Irlandais n'étaient pas anglais. Dieu les avait envoyés au Canada pour empêcher qu'on se marie avec des protestants.

Cet hiver-là, les petites filles portèrent des guêtres et des moufles blanches, tricotées par leur mère, avec des manteaux et des bonnets en fourrure de lapin blanc. L'une et l'autre avaient un manchon en lapin.

Marie pleura quand vint le moment pour Berthe

d'aller à l'école. Le dimanche après-midi, elles jouaient avec Arno et M. Grosjean. Il essaya de les photographier, mais ce ne fut pas facile. Les fillettes étaient debout sur le perron, la main dans la main, moufle contre moufle, tandis qu'Arno était attelé à un traîneau aux patins recourbés. Le harnais rouge dont il était équipé avait été porté jadis par un autre chien airedale, Ruby, qui était encore plus élégant qu'Arno.

M. Grosjean voulait que Marie s'asseye sur le traîneau, tienne les rênes et regarde de côté vers l'objectif. Marie s'agrippait au manteau de Berthe. Elle avait peur qu'Arno ne se précipite dans la rue Saint-Denis, où il y avait des tramways. M. Grosjean la descendit du traîneau et essaya de composer la scène autrement, Berthe faisant semblant de conduire et Marie debout face à face avec Arno. Dès qu'il posa Marie à terre, elle se mit à hurler. Elle avait froid aux pieds. Elle voulait qu'on la porte. Son nez coulait ; elle se sentait humiliée. Il sortit son mouchoir, à carreaux verts et blancs, et lui essuya la figure tout entière avec une certaine rudesse.

C'est à ce moment précis que sa femme se présenta dans l'embrasure de la porte d'entrée avec un plat de macaroni et de petits morceaux de saucisse pour Arno. Elle avait juste passé un tricot par-dessus sa robe d'intérieur en coton : c'était une personne qui n'était pas frileuse. Un coup de vent fit voler ses cheveux dénoués. M. Grosjean lui dit que ce n'était pas une partie de plaisir de photographier la petite. Berthe, qui faisait des progrès rapides en anglais, n'aurait pas pu répéter ses paroles fidèlement, mais elle savait ce qu'elles signifiaient.

Mme Carette n'avait pas encore touché le produit de la vente du magasin. Un beau-frère l'aidait à payer le loyer en lui envoyant tous les mois de Fall River un mandat généreux. Elle avait la conviction que Dieu allait opérer un miracle qui lui permettrait de tout rembourser. En attendant, elle faisait de la couture fine. On l'embaucha un jour pour exécuter un trousseau, ce qui l'obligea à travailler toute la journée au domicile de la future mariée. La date de la noce approchant, il lui fallut y passer la nuit.

C'est Mme Grosjean qui s'occupa des enfants. Assises dans son salon, elles mangeaient des sandwiches aux œufs frits et buvaient des sodas (cela n'avait pas d'importance si elles laissaient tomber des miettes) pendant que Mme Grosjean passait un disque avec un homme qui chantait : « Très chère, le monde attend que le soleil se lève. »

Berthe demanda, en français : « Que dit-il ? » et Mme Grosjean répondit, en anglais : « C'est un ténor irlandais bien connu. »

Le lendemain, quand Mme Carette revint, elle donna un bain chaud aux petites filles, au cas où Mme Grosjean aurait négligé leurs coudes et leurs talons. Elle prit Berthe dans ses bras et lui expliqua qu'elle ne devait jamais raconter à quiconque que leur mère avait quitté la maison pour aller faire de la couture chez des étrangers. Quand elle serait grande, il ne fallait pas qu'elle dise de sa mère qu'elle était couturière, mais plutôt : « Ma mère avait des doigts de fée. »

Ce soir-là, tandis qu'elles dînaient toutes les trois dans la cuisine, elle regarda Berthe et dit : « Tu as de beaux cheveux. » Le ton de sa voix était si las et si sévère que Marie, qui mangeait de la purée au jus de viande, une serviette sous le menton, pensa que Berthe se faisait gronder. Elle ouvrit la bouche toute grande et se mit à hurler. Mme Carette se contenta de lui enjoindre : « Marie, ne pleure pas la bouche pleine. »

En bas, Mme Grosjean entonna sa mélopée du soir

pour appeler Arno. « Oh, où es-tu allé te fourrer ? » gémissait-elle à l'adresse de l'arrière-cour vide.

« Il n'y a que le chien qui unisse ces deux-là, dit Mme Carette. Mais un chien, ce n'est pas comme un enfant. Un chien ne s'occupe pas de ses maîtres quand ils sont vieux. Nous verrons comment tournera ce mariage quand Arno mourra. » Elle n'avait pas plus tôt prononcé ces paroles qu'elle se mettait la main devant la bouche et parlait à travers ses doigts : « Que Dieu me pardonne mes mauvaises pensées. » Elle appuya ses coudes de part et d'autre de son assiette, comme il était interdit de faire à ses filles, et laissa glisser son visage dans ses mains.

Berthe en déduisit qu'Arno était condamné. Seule, une calamité sur le point d'engloutir toute la maisonnée pouvait expliquer les coudes de sa mère sur la table. Elle descendit de sa chaise et essaya d'écarter les mains de sa mère et de lui embrasser le visage. Ses propres larmes coulèrent dans ses longs cheveux, tombèrent sur son col en piqué empesé. Elle sentit des larmes sur son nez et à l'intérieur de ses oreilles. Tout en disant des paroles d'espoir et de réconfort, entrecoupées de sanglots (Arno ne mourrait jamais) et des promesses de conduite rassurante (elle et Marie seraient toujours sages), elle se demandait comment les larmes pouvaient couler simultanément dans tant de directions.

Évidemment, M. Grosjean ignorait que toutes les créatures féminines de sa maison souffraient de peur et de solitude, qu'elles appelaient et pleuraient. Il se trouvait avec Arno au parc Lafontaine, où ils essayaient de jouer à « cherche la balle » dans le noir.

Un mari présenté

En 1949, année pendant laquelle nul autre événement intéressant ne se produisit, Mme Carette hérita dix-huit mille dollars d'un beau-frère qui avait bien réussi à Fall River. Elle l'avait soupçonné d'être franc-maçon, entre autres errements dont aucun n'était véniel, si bien qu'elle se garda de toute manifestation ostentatoire, comme d'exhiber sa photographie, mais demanda à ses filles, Berthe et Marie, de l'inclure dans leurs prières. Peut-être le firent-elles, pendant un certain temps. Ces jeunes filles avaient vingt-deux et vingt ans ; Berthe, l'aînée, ne priait pratiquement pas.

La première chose que fit Mme Carette fut d'obtenir une adresse plus reluisante. Jusqu'à présent, elle avait conservé l'habitude montréalaise de changer de logement après quelques années, une conversation avec le propriétaire tenant lieu de garantie et le loyer étant payable en liquide. Cette fois-ci, elle reçut une convocation sur rendez-vous dans une agence de location pour signer un bail de deux ans. Elle avait loué le premier étage d'une maison en pierre tout près de l'église Saint-Louis-de-France. C'était son ancienne paroisse : Mme Carette se cantonnait dans le lacis de rues à proximité du parc Lafontaine, mais se trouvait maintenant dans une voie glorieuse de cette paroisse, la rue Saint-Hubert.

Avant l'héritage, Mme Carette se rendait à l'église furtivement, les yeux baissés ; elle s'asseyait là où elle risquait le moins de déranger quelqu'un ayant apparemment eu plus de chance qu'elle dans la vie, donc plus de mérite. Ce n'était pas tant des prières qu'elle adressait, que des suppliques.

A présent, elle passait un doigt sur le banc pour s'assurer qu'il avait été épousseté, remettait de l'ordre dans les piles de brochures, que personne ne lisait, destinées à susciter des vocations missionnaires pour l'Afrique, disait à son confesseur que, comme tous les nantis, elle était probablement sans péché. Quand le bénitier avait l'air moussu, elle téléphonait au curé et réprimandait sa gouvernante, bien que l'entretien de l'église ne fît pas partie de ses fonctions.

Elle priait tous les jours pour le repos de l'âme de son défunt mari, et la paix plus douteuse de son beau-frère franc-maçon, mais une certaine vivacité de ton faisait s'entrechoquer les paroles dans sa tête. L'église, c'était une annexe assourdie de son foyer. Quand elle priait, c'était pour affiner une requête quelconque, puis, au lieu de rendre grâce, elle se contentait de reconnaître qu'autrefois, les choses allaient plus mal.

Sa fille Berthe n'avait pas tardé à faire observer que la rue Saint-Hubert était sur le déclin. Sinon, comment les Carette auraient-ils eu les moyens d'habiter là ? (Berthe était employée de bureau et pouvait payer la moitié du loyer.) Il y avait une famille d'étrangers installée de l'autre côté de la rue. Une couturière avait posé un écriteau dans une fenêtre du rez-de-chaussée — symptôme évident de décadence. C'était vrai, mais Mme Carette avait comme proches voisins une cantatrice célèbre et les cousins germains d'un conseiller municipal — des gens tranquilles, courtois, qui n'avaient jamais eu recours à l'aide sociale.

A quelques pâtés de maison, vers le nord, se trouvait la résidence particulière du maire, dotée d'un réverbère de part et d'autre de la porte d'entrée. (Pendant la dernière guerre, le maire avait été interné, comme s'il avait été ressortissant d'un pays ennemi. Personne ne se rappelait pourquoi, au juste. Mme Carette pensait qu'il avait refusé une invitation à se rendre au palais de Buckingham et que les Anglais lui en avaient tenu rigueur. On avait raconté à Berthe qu'il avait tenté d'annexer Montréal à l'État de New York et que quelqu'un y avait trouvé à redire. Marie, qui parlait aux inconnus dans l'autobus, était rentrée un jour en rapportant une histoire d'opinions fascistes, mais comme elle ne connaissait pas l'orthographe de « fasciste » et ne savait pas si c'était un paysage ou quelque chose qui se mangeait, personne ne l'avait prise au sérieux. On avait fini par relâcher le maire, qui fut promptement réélu et continua de rehausser la gloire de la rue Saint-Hubert.)

L'appartement de Mme Carette donnait sur de longues façades de pierre blanchâtre, des vitres en biseau qui réfractaient des arcs-en-ciel. Dans son enfance, c'est ainsi qu'avaient vécu les notaires et les pharmaciens, avant de se mettre à adopter le goût anglais pour les maisons individuelles, les pelouses unies, les saules ornementaux, les chiens en laisse. Elle se rappelait une tante et un oncle fortunés, une famille aux enfants bien habillés, à la voix douce, elle entendait résonner un français plus correct que le sien. Elle avait essayé de copier la singularité de chaque syllabe, qui sonnait comme une corde pincée ; elle avait voulu que ses petites filles parlent ainsi, mais elles s'étaient rebellées, opposant un refus, objectant que l'on se moquait d'elles.

Quand elle n'avait pas de requête à présenter, ou

qu'elle était fatiguée de ressasser les mêmes observations, elle fermait les yeux et imaginait ses obsèques. Elle avait tout juste quarante-cinq ans, mais un long veuvage observé avec rigueur l'avait gardée enfantine, pas jeune.

Elle voyait le rosaire enlaçant ses mains, la veillée, les cierges parfaitement immobiles, le monticule de couronnes mortuaires. Jusqu'à l'arrivée du message stupéfiant de Fall River, la mort avait meublé ses conversations. Le sujet une fois abordé, elle ne s'en était jamais écartée sans demander « Et ce jour-là, que deviendra ma pauvre petite Marie ? » Personne, si ce n'est l'oncle Gildas, n'avait jamais pris la question au sérieux.

Cela se passa au cours de leur premier repas de Noël, rue Saint-Hubert. L'oncle dit qu'il fallait que Marie cherche à se faire guider par la prière, le plus tôt serait le mieux. Dieu s'exaspérait devant les suppliques de dernière minute. (L'oncle Gildas était un prêtre âgé dont le cercle social était restreint, bien que sa nièce lui attribuât des relations nombreuses et mondaines.)

« La prière n'est pas infaillible », affirma Berthe pour le mettre à l'épreuve.

Au lieu de la réprimander, il répondit calmement : « Dans ce cas, Berthe pourra veiller sur sa petite sœur. »

Elle contempla ce vieil homme qui mangeait lentement. Il émanait de sa soutane l'odeur de quelque liquide détachant puissant, du tétrachlorure ; il vivait dans une maison de retraite et des religieuses s'occupaient de lui.

Marie portait une dépouille de Berthe, en velours bleu marine, avec un col de dentelle. Mme Carette était vêtue d'une robe gris perle que Berthe avait l'impression d'avoir toujours vue. La première année où elle avait travaillé, Berthe avait mis assez d'argent de côté pour acheter un manteau en lapin teint. Elle en possédait un autre en loup et progressait vers le ragondin rasé. « Marie ferait mieux de se marier », conseilla-t-elle.

Mme Carette souffrait encore vivement du manque de mari, de quelqu'un — pas l'une de ses filles — qui l'aide à monter dans un tramway, qui lui lise *la Presse* et lui en explique le contenu, quelqu'un qui fasse la loi à Berthe. Celle-ci, adolescente, ayant ri et chuchoté sans raconter la plaisanterie à sa mère, Mme Carette demanda à l'oncle Gildas de lui parler comme un père. Assis dans le petit salon, sur un fauteuil recouvert de peluche, tout pesant de soutane et de chaussures montantes, les genoux écartés, une main posée sur chaque genou, il interrogea Berthe sur ses rêves. Elle répondit que de toute sa vie, elle n'avait jamais rêvé à rien. L'oncle Gildas dit qu'une personne à la conscience tranquille pouvait rêver d'événements qui plaisaient à Dieu : lui-même le faisait depuis des années. Dieu conservait des traces des rêves de tous les êtres vivants, comme d'immenses rouleaux de pellicule. Il pouvait se les faire projeter quand il le souhaitait. Les jeunes filles de Montréal, dont la vertu était notoire, bénéficiaient de sa faveur, mais seulement jusqu'à un certain point. Il pardonnait, mais n'oubliait jamais. Il était l'incarnation du temps infini — toutefois, il ne fallait pas prendre « incarnation » au pied de la lettre. Les remords éternels dans les flammes de l'enfer étaient pour lui l'équivalent d'un coup sur les doigts avec l'arête d'une règle. En entendant cette affirmation, Marie était tombée évanouie. Tel était le pouvoir de l'oncle Gildas.

A présent, rabougri et perpétuellement affamé, il vivait retiré du monde. Le plancher de sa chambre était recouvert de linoléum encaustiqué, sans tapis. Il mangeait du potage au tapioca deux ou trois fois par semaine.

Il aurait volontiers passé toute la journée au lit, mais les religieuses qui administraient cette maison tenaient la maladie pour de la fatigue, la fatigue pour une dérobade devant l'effort. Il n'était ni fatigué ni paresseux : il n'avait aucune raison de se lever. Sa fenêtre donnait sur un rideau d'arbres. Quand Mme Carette venait lui rendre visite — un long trajet en tramway, puis en autobus —, elle n'avait que les arbres à contempler : elle ne pouvait pas tout le temps avoir les yeux fixés sur son oncle. Ces arbres dissimulaient le garage plein d'activité d'un transporteur routier. Peut-être cela l'aurait-il distrait de regarder les camions faire marche arrière, ou même d'être témoin d'un accident sans effusion de sang.

Le matin, il descendait à la chapelle, prenait le petit déjeuner, s'asseyait sur son lit dès qu'on l'avait fait. Ou bien il allait jusqu'à une petite table en traversant la pièce au sol reluisant : il repliait la nappe en toile cirée et lisait la première phrase d'un mémoire qu'il écrivait pour ses petites-nièces : « Je suis né à Montréal, le 22 mai 1869, de parents chrétiens et pieux alliés à des familles montréalaises dont le nom a été donné à des ponts et des rues. » Ou alors il sortait en traînant les pieds dans le couloir verni où se trouvait un téléphone public. Il aimait téléphoner, mais discipliné de longue date, ne le faisait jamais sans raison précise.

Peu après Noël, Mme Carette vint le voir, portant les bottes en velours à pompons de Berthe, le manteau en lapin teint de Berthe, et un turban en plumes qui était le sien propre.

Au lieu de prier pour se faire guider, Marie était tombée amoureuse d'un de ces Grecs qui commençaient à élire domicile dans leur quartier de Montréal. Il n'y avait jamais eu d'étranger dans la famille, encore moins de païen. L'oncle Gildas l'interrompit pour faire observer qu'en général les Grecs étaient chrétiens, quoique d'une espèce qui ne convenait pas à Marie. Mme Carette l'implora de trouver quelqu'un, pas un Grec, qui soit sérieux, installé, catholique, francophone, canadien de naissance. « Pas canadien de Nouvelle-Angleterre », ajouta-t-elle, manifestant une ingratitude fugitive à l'égard de Fall River. Elle laissa une provision de pièces de cinq *cents* pour qu'il puisse appeler quand il le désirait.

Louis Driscoll, français en tous points si ce n'est son nom, rendit visite à Marie pour la première fois le 12 avril 1950. Il restait des plaques de neige dans les caniveaux. Les arbres de la rue Saint-Hubert paraissaient noirs et cassants, comme si l'hiver avait fini par les tuer. Cachées derrière le rideau du salon, invisibles de l'extérieur, les dames Carette le regardèrent venir depuis l'arrêt d'autobus. Pour faire la connaissance de Marie, il avait mis un pardessus en tweed beige, la ceinture desserrée, une écharpe beige, un feutre mou vert bouteille au bord relevé derrière, des chaussures à semelle de crêpe et des gants en pécari. La couleur de son pantalon au pli impeccable était plus foncée d'un ton que le chapeau. Sous le bras gauche, il serrait un paquet enveloppé de papier blanc, dont la taille et la forme étaient celles d'une boîte d'un kilo de chocolats Laura Secord. Il s'arrêtait fréquemment pour vérifier les numéros des maisons (bleus et blancs, affichés assez haut à la manière de Montréal), qu'il comparait avec un bout de papier tenu près de ses yeux.

C'était dommage qu'il ait dû porter des lunettes : les Carette n'y étaient pas préparées, non plus qu'à la frange de cheveux roux qui dépassait de son chapeau. L'oncle Gildas avait dit qu'il était d'allure distinguée. Il venait de Moncton dans le New Brunswick et était employé au siège social d'une fabrique de pâte à papier et de papeterie. Il avait vingt-six ans. Berthe pensa que ce devait être un séminariste raté : c'étaient les seuls célibataires catholiques que connût l'oncle Gildas.

Tout à l'examen de leur porte d'entrée, il mit le pied dans une flaque de neige fondue. Mme Carette se demanda si les enfants de Marie allaient être myopes. « Comment pouvons-nous être sûres que c'est bien lui ? demanda-t-elle.

— Qui d'autre est-ce que ça serait ? » répondit Berthe. Qu'attendait-il de Marie ? L'oncle Gildas n'avait pas pu promettre grand-chose en son nom, si ce n'est un naturel malléable. Il ne pourrait jamais y avoir de réunion chez un notaire pour fixer une dot, à moins de prendre en compte une petite quantité de vaisselle et de meubles. Peut-être que le vieil homme avait fait peur à Louis, lui avait rappelé que le célibat prolongé — sauf dans le clergé — déplaît à Dieu. Marie est pauvre, avait-il dit sans doute, quoique de bonne famille. Elle vous sera reconnaissante toute sa vie.

Les marches du perron étaient peintes en gris pâle, assorties à la pierre de la maison. Le visage de Louis, levé, était couleur de cendre de bois. Monter ces marches, sonner à la porte, étaient susceptibles de changer sa vie d'une façon qu'il ne désirait pas entièrement. Il voulait probablement une femme pour être à l'abri du péché, du risque de scandale, de la nécessité de séduire, des remords, mais la voulait-il assez pour que cela justifie de fonder un foyer ? Un homme dont la mémoire était aussi fugace que la sienne, capable de lire une adresse trente fois et cependant de la laisser s'échapper, pourrait oublier de se présenter à la noce. Il froissa le bout de papier, le fourra dans une poche du pardessus en tweed, et sortit un grand mouchoir dont il fit usage.

Mme Carette se retira du rideau en vacillant comme si l'on avait jeté une pierre. Elle mit fin à une réflexion en interpellant Marie : « ... malgré tout, je serai plus heureuse sur mon lit de mort si je sais que tu as un foyer à toi. » Pendant ce temps, Louis tapait ses pieds contre la première marche pour faire partir la neige qui collait à ses chaussures. (C'étaient les rustauds qui tapaient des pieds. Le Grec de Marie les avait essuyés, lui.) Il hésitait encore, glissant un dernier coup d'œil pâle en direction des autobus et des tramways. Puis, de la même façon qu'il se serait mis un pistolet sur la tempe, il gravit cinq marches et appuya sur la sonnette.

« Il faut que quelqu'un lui ouvre la porte, dit Mme Carette.

— Marie, dit Berthe.

— Cela n'aurait pas l'air convenable. Elle ne l'a jamais rencontré. »

Il se tenait tout près, là où la marche du haut s'élargissait pour former un palier au niveau de la fenêtre. Elles auraient pu se pencher, le présenter à Marie. A cet instant, Marie sembla penser qu'il ferait l'affaire ; tout au moins, elle ne donna aucun signe de répugnance, comme d'avancer la lèvre inférieure ou de froncer le menton. Peut-être avait-elle été sur le point de laisser tomber son Grec : Mme Carette l'avait prévenue qu'il lui faudrait être la domestique de sa belle-mère, et manger des nourritures bizarres. « Il ne m'a jamais demandé de le faire », avait répliqué Marie, et c'est en partie ce qui l'ennuyait. Il n'avait rien demandé. Pour son vingt et unième anniversaire, il lui avait donné un médaillon avec une chaîne et un coffret de chez Maitland's, le confiseur du West End, contenant vingt et une souris en chocolat. « Il m'aime », dit Marie. Elle comptait et recomptait les souris et ne permettait à personne d'en manger.

En fin de compte, c'est Berthe qui fit entrer Louis, qui reçut le cadeau de chocolats pour Marie et lui montra où il devait déposer son chapeau et son manteau. La chemise blanche propre trouva grâce aux yeux de Berthe, ainsi que la veste en tweed semblable au pardessus mais en tissu plus léger, et la cravate au dessin de voiliers ballottés par la tempête. Avant de serrer les mains, il enleva ses lunettes, qui s'étaient embuées, et les essuya. Ses yeux, rencontrant la lumière radieuse du soir quand il les tourna vers la fenêtre (Marie s'y tenait encore, mais face à la pièce) lancèrent des éclats bleus d'outremer. Mme Carette se prit à espérer que les enfants de Marie hériteraient cette couleur.

Il prit, puis laissa retomber, la main molle de Marie. Celle-ci, étant débarrassée de la présentation, souleva le couvercle de la boîte de bonbons et dit de façon intelligible : « Pas de souris ». Louis parut ne pas entendre, ou pensa peut-être qu'elle était contente de constater qu'il ne lui avait pas fait de farce. Berthe le dirigea vers le fauteuil de peluche, juste en dessous d'un lustre piqué d'ampoules électriques. C'est depuis ce fauteuil que l'oncle Gildas avait expliqué les caprices de Dieu ; c'est contre sa têtière que le Grec s'était récemment appuyé.

Des flaques d'eau de neige se formaient autour des semelles de crêpe de Louis. Berthe lança un coup d'œil à sa mère pour lui signifier qu'elle ne devait pas s'en offusquer, mais Mme Carette était occupée à se rappeler où Berthe leur avait dit de s'asseoir, à elle et Marie. (Sur le canapé, en face de Louis.) Berthe choisit une chaise dorée qui lui permettait de se lever facilement pour faire passer les rafraîchissements.

Ils étaient disposés sur une console à dessus en marbre : des gaufrettes à la vanille, un cake glacé, aux raisins de Smyrne, du *fudge* au sirop d'érable, des boissons non alcoolisées. Derrière le canapé, un grand trumeau reflétait Louis dans le fauteuil et le sommet du crâne de Mme Carette. Berthe savait, par l'attitude de sa mère, la tête penchée, les mains jointes, qu'elle était en train d'adresser une supplique muette à Louis pour qu'il lui fasse confiance. Elle se pencha en avant et lui demanda s'il était enfant unique. Berthe ferma les yeux. Quand elle les rouvrit, rien n'avait changé, sinon que Marie mangeait des chocolats. Louis avait l'air de chercher à se situer.

Il finit par dire qu'il était l'aîné de sept enfants. Les autres s'appelaient Joseph, Raymond, Vincent, Francis, Rose et Claire. Le français était leur langue maternelle, dans un sens. Mais dans un autre, l'anglais l'était aussi. Un certain Louis Joseph Raymond Driscoll, irlandais, ancien combattant de Waterloo, du bon côté, de ce fait proscrit en Angleterre et en Irlande, avait émigré au Canada et greffé sur une souche purement française un certain nombre de caractéristiques nobles : des cheveux brillants et ondulés, un don pour l'éloquence, un autre pour l'aplomb en société. A chaque génération de Driscoll, il devait y avoir un Louis, un Joseph, un Raymond. (Berthe et sa mère échangèrent un regard. Il voulait trois fils.)

Son français était lent et étouffé, comme filtré à travers de la laine. Il employait des mots anglais, ou des mots français d'une manière anglaise. Mme Carette haussait les épaules et écartait ses mains jointes, comme pour dire, peu importe, l'anglais vaut mieux que le grec. Elles pouvaient au moins être assurées que les Driscoll étaient catholiques. En août, son père et sa mère allaient faire le pèlerinage de l'Année Sainte à Rome.

Rome dépassait leur capacité d'imagination, bien que les trois Carette fussent allées dans le Maine et à Old Orchard Beach. Louis espérait passer des vacances à Old Orchard Beach (ceci en réponse à une question fervente posée par Mme Carette) mais il était plus sensible à la ville de Québec. Les parents de son père étaient entrés au Canada par le Québec.

« La partie française de la famille ? demanda

Mme Carette. — Oui, oui», dit Berthe en touchant le bras de sa mère. Berthe était allée à Québec, raconta Mme Carette. Elle était brillante, fiable, entièrement bilingue. Au bureau, elle bénéficiait d'avancement à chaque mois de janvier. Elle était constamment envoyée en voyages d'affaires pour le compte de la compagnie. Elle connaissait Pittsburgh, le lac Saranac. A Québec, en déjeunant au Château Frontenac, elle avait vu des politiciens connus s'empiffrer d'huîtres et de homards sortant de l'eau, aux frais du contribuable.

Le regard de Louis tenta de rencontrer celui de Berthe, comme il aurait pu chercher et accueillir avec joie un second homme dans la pièce. Berthe étendit le bras devant Mme Carette pour retirer à Marie la boîte de chocolats. Elle donna un coup de coude à sa mère.

« La toute première fois que j'ai vu Old Orchard, reprit Mme Carette en tirant sur le corsage de sa robe, j'ai regretté de ne pas y avoir été en voyage de noces. » Elle marqua un temps en regardant Louis prendre un chocolat. « Mon mari et moi, nous sommes allés à Fall River. Il avait un frère dans une affaire de bois de charpente. »

Lorsque Louis entendit parler de bois, son visage se figea, prenant une expression de bouledogue. Berthe se demanda si l'entreprise de pâte à papier-papeterie avait fait faillite. Ses pensées filèrent vers l'oncle Gildas, songeant que c'est elle qui s'expliquerait avec lui, sans permettre à sa mère de s'en charger, s'il avait négligé d'enquêter sur les perspectives d'avenir de Louis. C'est alors que Louis se mit à tousser et dut mettre la main devant sa bouche. Il avait des ennuis avec un caramel. Les Carette détournèrent les yeux pour qu'il puisse s'étrangler sans être observé. « Comme il fait sombre », s'exclama Berthe, pour lui faire croire qu'on ne le voyait pas. Marie se leva, dans un froissement et un froufroutement de sa jupe de taffetas, pour allumer les lampadaires jumeaux aux abat-jour en soie cerise.

Voilà, semblait-elle dire à Berthe. Ai-je fait ce qu'il fallait faire ? Était-ce ce que tu voulais ?

Louis continuait à tousser, mais moins fort. Il remua les doigts, comme un enfant à qui l'on fait faire un signe d'adieu. Mme Carette se demanda de combien de maladies infantiles il avait réchappé : dans une famille nombreuse, tout passait des uns aux autres. Ses yeux, peut-être en quête d'ombre, parcoururent la tapisserie marron mouchetée d'or et s'immobilisèrent devant la seule chose familière visible dans la pièce — sa propre image dans la glace. Il but une grande gorgée de soda. « Quand sourient des yeux irlandais[1] » dit-il en anglais, comme s'il se parlait à lui-même. « Quand sourient des yeux irlandais. C'est plein de qualités. Plein de qualités. »

Il était évidemment désemparé, égaré dans un fauteuil, avec les Carette qui l'observaient comme des juges bienveillants. Quand il tendit la main pour prendre un autre chocolat, elles regardèrent ses ongles pour voir s'ils étaient propres. Quand il croisa les jambes, elles examinèrent ses chaussettes. Elles étaient en train de se faire une première idée de l'inconnu qui allait peut-être emmener Marie, lui donner une cuisine moderne, des enfants à élever, un manteau en rat musqué, un compte au grand magasin Dupuis Frères, des vacances dans le Maine. Louis poursuivait la contemplation de ses cheveux Driscoll brillants, du petit nez sur lequel glissaient ses lunettes. Les retenant d'un doigt, il répondit à Mme Carette. Son père était chirurgien-dentiste, diplômé de Pennsylvanie, le seul diplôme qui vaille. Avant de s'installer dans un fauteuil de dentiste, le patient devrait toujours lire l'inscription sur le mur. Sa

1. Chanson populaire. (*N.d.T.*)

mère était née Lucarne, un nom prestigieux à Moncton. Elle entrait encore dans sa robe de mariée. Chez eux, tout était si bien aménagé — vaste machine à laver, aspirateur cyclopéen — qu'elle sortait rarement. Quand cela lui arrivait, elle portait un double rang de perles de culture, un manteau et une toque en astrakan.

Les Carette n'avaient rien à proposer d'équivalent, quoiqu'elles fussent apparentées à des familles dont les noms avaient été donnés à des ponts. Mme Carette était assise au bord du canapé, les chevilles serrées l'une contre l'autre. Les bonnes manières constituaient l'armature qui la maintenait. Autrefois, jeune veuve à court d'argent, elle avait été obligée de faire de la couture pour gagner sa vie. Berthe se rappelait une mère plus rigide, au visage sévère, peinant sur les plis et les replis pour des clientes qui lui chicanaient les centimes. Elle portait les teintes neutres du demi-deuil, les gris blanchâtres de la rue Saint-Hubert, comme s'il fallait que tout serve jusqu'au bout — même les restes de chagrin.

Mme Carette essaya d'imaginer la mère de Louis. Il se pourrait qu'un jour elle soit acculée à vendre ses perles ; même un dentiste formé en Pennsylvanie pouvait laisser derrière lui du désordre et des dettes. Quoi qu'il arrive, dit-elle à Louis, elle resterait dans cet appartement. Même quand les filles seraient mariées. Elle aimerait mieux demander l'aumône sur les marches de l'église paroissiale que de s'immiscer dans un jeune ménage. Quand sa dernière et terrible maladie se déclarerait, elle gagnerait discrètement l'Hôtel-Dieu et mourrait sans une plainte. Cependant, la rue avait l'air de se remplir d'étrangers. Elle serait peut-être obligée de déménager.

Berthe et Marie étaient habillées pareil, comme pour confondre Louis, le forcer à choisir la vraie princesse. Quittant le spectacle de son visage dans la glace, déconcerté par la mort et la vieillesse, il prêta attention aux deux jupes moirées, aux corsages en organdi, aux ceintures vernies. «Je n'en reviens pas de vos jumelles, dit-il à Mme Carette. C'est bien simple, je n'en reviens pas.»

Un jour, Berthe avait mis Marie à l'essai dans son propre bureau — un travail facile, prendre les messages quand le standard était fermé. Elle savait juste assez d'anglais pour le faire. Au bout de deux semaines, le chef de bureau, M. Macfarlane, avait dit à Berthe : « Votre sœur est un ange, mais les anges ne sont pas demandés chez les Brûleurs Prestige. »

C'est l'association des cheveux blonds et des yeux noirs, cette mésalliance ravissante, qui donnait l'air angélique à Marie. Elle jouait avec le médaillon que lui avait donné le Grec, tordant et détordant la chaîne. Que devait-elle à son Grec ? La fidélité ? Une explication ? Il était ponctuel et poli, il ne l'avait jamais touchée, ni par humeur, ni par ardeur ; il avait fait un long trajet en tramway pour apporter les souris. C'est vrai, songea Berthe, passant en revue ses qualités, tandis que Louis faisait un sort au dernier caramel mou. Quant aux souris, c'était vrai, mais il aurait fallu qu'il devienne plus que « le Grec de Marie ». Dans la vie d'une jeune célibataire sans le sou, il n'y avait pas de place pour un homme qui n'était qu'amoureux. Il aurait dû se présenter en tant que *quelque chose* : l'avenir de Marie.

En mai, le printemps véritable arriva, moite et chaud. Berthe rapporta à la maison des patrons de robes et des métrages de rayonne à fleurs et de piqué. Louis venait en visite trois fois par semaine, à sept heures du soir, une fois que la table était débarrassée, après le dîner. Ils jouaient aux « cœurs » dans la salle à manger en buvant du thé « Salada » infusé jusqu'à ce qu'il soit noir, avec des quantités de sucre et de crème, en mangeant des éclairs et des mille-feuilles de chez Celentano, la pâtisserie de l'avenue Mont-Royal. (Celentano portait un autre nom depuis de nombreuses années, mais Mme Carette ne prêtait pas attention à ce genre de changement et ne tenait pas à ce qu'on le lui fasse remarquer.)

Louis, tout en enfournant un éclair après l'autre, racontait des histoires situées à Moncton, qui mettaient sa famille en valeur. Marie portait une robe bleue à col rouge qui avait autrefois appartenu à Berthe, et une barrette rouge dans les cheveux. Berthe, joueuse hors pair, laissait passer sa chance pour faire gagner Louis, que Mme Carette écoutait de son côté, retenant certaines de ses histoires, en écartant d'autres, recueillant les informations qui seraient utiles à Marie. Celle-ci ramassait des cartes au hasard, perturbant la partie. Le français de Louis était moins pâteux qu'auparavant, mais il avait attrapé quelque part un accent vulgaire de Montréal. Mme Carette se demanda qui étaient ses amis et comment parleraient les enfants de Marie.

Elles se mirent à l'inviter à manger. Il arrivait à cinq heures et demie, en sortant du travail, et on le servait tout de suite. Mme Carette confia à Berthe qu'elle espérait qu'il se lavait les mains au bureau, car il ne le faisait jamais chez elles. Elles utilisaient le service anglais en porcelaine à décor chinois bleu, destiné à Marie. Un soir, quand la nappe avait été pliée et rangée, les tasses à thé et les cartes distribuées, il parla du mariage. Il ne s'agissait pas du sien, ni d'une épouse en particulier, mais de l'envisager comme mode de vie. Mme Carette l'interrompit pour raconter qu'à l'âge qu'avait Louis, elle était veuve. Elle se rappelait ce que cela avait représenté d'avoir un mari qu'elle pouvait consulter et admirer. « Le mariage signifie des enfants », déclara-t-elle en regardant les siens tendrement. Elle ne serait pas seule au cours de sa dernière et longue maladie. Ses filles la recueilleraient. Elle ne constituerait pas un fardeau : un divan lui suffirait en guise de lit.

Louis trouva que la partie avait assez duré. Il abattit son jeu et étala les cartes en arc de cercle.

« Tous ces cœurs, fit Mme Carette, d'un ton admiratif.

— Permettez que je voie. » Marie fut obligée de se mettre debout : une grande théière faisait obstacle. « As, reine, dix, huit, cinq... un mariage. » Avant que le pied de Berthe eût atteint sa cheville, elle trouva le moyen de lui demander, sincèrement, si un de ses proches se mariait cette année-là.

Mme Carette estima que Marie était pour ainsi dire fiancée. Elle acheta une grande quantité de soie floche pour la broderie et entreprit d'agrémenter des serviettes d'invités et des torchons à vaisselle, des sets de table et des taies d'oreiller. Marie passa le doigt sur le joli chiffre avec son entrelacs intriqué de feuilles de vigne. Son esprit, qui s'était mis en hibernation quand elle avait accepté Louis et oublié son Grec, se réveilla et la tourmenta d'un cauchemar. « J'étais devenue religieuse », ce fut tout ce qu'elle confia à sa mère. Mme Carette aurait souhaité que ce fût vrai.

En fait, le rêve s'était interrompu juste avant qu'elle prononce ses vœux. Pieds nus, vêtue seulement d'une robe de bure marron, elle avançait le long de l'allée centrale d'une église, traversant des carrés alternés de soleil et d'ombre. On l'attendait à l'autel pour lui raser les cheveux. Un inconnu — ni l'oncle Gildas, ni Louis, ni le Grec — se levait d'un banc et lui barrait le chemin. La robe grossière se révélait une protection fragile. La seule chose qui empêcha ce rêve de glisser dans le blasphème et l'abomination fut l'ignorance totale de Marie, qu'elle fût éveillée ou endormie, de ce qui pouvait s'ensuivre.

Parce que Marie n'aimait pas être seule dans le noir, elle et Berthe partageaient encore une chambre. Le lit de leur enfance avait été enlevé et remplacé par des lits jumeaux, à la tête en satin capitonné. Il fallait que Berthe ait trois oreillers, parce que ses bigoudis en aluminium lui rentraient dans le cuir chevelu. En premier, tous les matins, elle mettait ses boucles d'oreille en perle, assise dans son lit, et défaisait les rouleaux, qu'elle tendait un à un à Marie ; celle-ci se mettait à son tour les bigoudis qu'elle conservait jusqu'à l'heure du dîner.

Dans l'obscurité, le visage tourné vers le tas d'oreillers qu'elle entrevoyait, Marie raconta l'incident de la chapelle à Berthe. Si les rêves sont l'envers de la vie, qu'est-ce que cela voulait dire ? Berthe comprit que la signification dépassait ce que Marie était capable d'exprimer. A voix basse, pour que leur mère n'entende pas, elle essaya de parler à Marie des hommes, de leur comportement et de ce qu'ils voulaient. Marie proposa qu'elle et Berthe entrent sur-le-champ dans un couvent cloîtré, tant qu'il en était encore temps. Berthe supposa que ce qu'elle avait en tête, c'étaient les illustres sœurs Martin de Lisieux, en France, dont la plupart étaient carmélites et l'une d'elles, sainte. Elle toucha sa tempe pour signifier que Marie souffrait de ramollissement cérébral. Marie ne le vit pas : si elle l'avait vu, elle aurait pensé que Berthe était en train de dégager un de ses rouleaux. Berthe rappela à Marie qu'elle n'était pas destinée à la sainteté en France mais au mariage à Montréal. Berthe jouissait d'un salaire et de voyages de temps à autre. Mme Carette bénéficiait de l'aubaine de Fall River. Marie, si elle s'y appliquait, pourrait connaître l'amour pendant sa vie entière.

« C'est l'amour, Louis ? » demanda Marie.

Il y avait des jeunes filles prêtes à faire la queue sous la pluie pour Louis, affirma Berthe.

« Quelles jeunes filles ? s'enquit Marie, plus perplexe qu'incrédule.

— Des jeunes filles de Montréal, précisa Berthe. Ces jeunes filles qui pleurent de jalousie quand vous descendez la rue ensemble, toi et Louis.

— Nous n'avons jamais descendu une rue », dit Marie.

Le 3 juin, c'était l'anniversaire de Louis. Il arriva vêtu d'un costume neuf en *seersucker*. Les Carette lui offrirent trois mouchoirs ourlés à la main et chiffrés (il était constamment en train d'astiquer ses lunettes ou de s'essuyer la figure). Mme Carette avait préparé un repas qui lui plaisait particulièrement : du rôti de porc et un gâteau fourré de crème de noix de coco. Le soleil était encore haut dans le ciel. La fête se déroula tranquillement au long d'un après-midi torride.

Louis posa subitement son couteau et sa fourchette et annonça que si jamais il décidait de se marier, il lui faudrait plus que sa prime annuelle pour payer la lune de miel. Il devrait acheter des tapis, des lampes, un réfrigérateur. Les gens parlaient de mariage à la légère, sans prendre en compte ce que cela coûtait au mari. Les prêtres poussaient les célibataires vers la vie conjugale, ces prêtres qui ne connaissaient pas le prix d'une demi-livre de thé.

« Certaines mariées apportent des lampes et des abat-jour, répliqua Mme Carette. Une bibliothèque vitrée. Même les livres qu'on y rangerait. » Son mari avait été propriétaire d'un magasin de meubles, rue Saint-Denis. Du mobilier destiné à Berthe et Marie avait été confié à des parents depuis une vingtaine d'années, encaustiqué, astiqué et protégé de la poussière. « Une table en chêne pour quatorze couverts », ajouta-t-elle et s'interrompit. Berthe lui avait interdit de dresser un inventaire. Marie ne faisait pas l'objet d'un troc.

« Certaines jeunes filles ont de l'argent », dit Marie. Ses économies — seize dollars — étaient rangées dans un tiroir de la vieille machine à coudre, à pédale, de sa mère.

Un spasme parcourut le visage de Louis ; il avait tendance à s'étouffer en mangeant. Berthe en savait plus long sur les hommes que Marie, plus que sa mère, qui savait seulement comment arrivaient les enfants. Mr Ryder, du bureau de Berthe, s'attardait dans le couloir, laissant passer les ascenseurs, en attendant celui où il aurait l'occasion de coincer Berthe. Mr Sexton lui avait proposé de l'argent, une allocation permanente, si elle acceptait de sortir avec lui tous les vendredis, le soir de sa réunion d'anciens combattants. Mr Macfarlane avait déposé un poème lubrique sur son bureau, suivi d'un mot d'excuses, puis d'un poème encore pire que le premier. Mr Wright-Ashburton s'était déclaré prêt à quitter sa femme, car, bien entendu, ils étaient mariés, Mr Ryder, Mr Sexton, Mr Macfarlane, qu'elle n'avait jamais encouragés, ni les uns ni les autres, ainsi que Mr Wright-Ashburton, avec lequel elle était allée à Plattsburgh et au lac Saranac et dont, agenouillée dans les confessionnaux de paroisses éloignées, où le prêtre ne pouvait pas la reconnaître à sa voix, elle avait décrit le comportement dans l'intimité.

Quand Berthe avait accepté l'offre délirante de quitter sa femme faite par Mr Wright-Ashburton (de toute façon, avait-il ajouté, Irène était probablement au courant de leur liaison, serait même soulagée que les choses deviennent claires), son visage, qu'il ne maîtrisait plus, avait ondulé de frayeur, comme si elle le voyait sous l'eau, sillonné de rides. Berthe fut obligée de lui dire qu'elle n'avait pas répondu sérieusement. Elle ne pouvait pas épouser un divorcé.

Sur le visage de Louis, elle aperçut ce même désarroi frémissant. Il avait peur de Marie, de sa docilité, de ses serviettes chiffrées, de sa dépendance, de sa bibliothèque vitrée. L'ayant constaté, Berthe ne s'étonna pas qu'il ne donne plus signe de vie jusqu'au 25 juin.

Pendant son absence, un sentiment de rejet remplit chaque coin de l'appartement de culpabilité et de ténèbres. Chacune des pièces disait l'humiliation : pas parce que Louis avait laissé tomber Marie, mais parce que les Carette avaient reçu avec égards et chaleur un péquenaud, un camelot, une nullité, un rouquin de rien du tout. A maintes reprises, Mme Carette et Marie téléphonèrent à son bureau, en variant les noms et les voix, pour s'entendre dire à chaque fois qu'il ne s'y trouvait pas. Un matin, en allant au travail, Berthe aperçut quelqu'un lui ressemblant fort qui se précipitait dans la gare Windsor. Le temps qu'elle parvienne à s'extraire de son tram bondé, il avait disparu. A sa suite, elle s'enfonça dans la foule immense et regarda les heures des différents trains en remarquant leur destination. Un moineau qui ne parvenait pas à s'échapper voletait sous la verrière. Berthe se rappela une expression du visage de Louis, à la fois gêné et polisson, quand il lui avait dit que Marie était une oie blanche. (C'était dit en anglais, par-dessus la table, comme si Mme Carette et Marie étaient incapables de le comprendre.) Quand Berthe avait demandé ce qu'il voulait dire, il avait essayé de croiser son regard, comme le premier soir, entre hommes. Elle n'était pas un homme ; elle avait détourné les yeux.

Mme Carette continuait à broder des corbeilles de fleurs, des feuilles de lierre, penchée sur son travail, tête baissée. Marie décida de chercher un emploi comme réceptionniste dans un institut de beauté. Ce serait agréable de travailler dans des locaux propres. Une jeune fille à qui elle avait parlé dans l'autobus gagnait quatorze dollars par semaine ; Marie en donnerait huit à sa mère et en garderait six. Elle n'avait pas besoin de Louis, affirmait-elle, et était certaine de ne jamais pouvoir l'aimer.

« Personne ne s'attendait à ce que tu l'aimes », dit sa mère, sans lever les yeux.

Le matin du 25 juin, il sonna à la porte. Marie était en train de prendre son petit déjeuner à la cuisine, coiffée des bigoudis en aluminium de Berthe sous un foulard en mousseline de soie mauve, et vêtue du kimono noir et mauve de Berthe. Il resta planté au milieu de la pièce, refusant le thé qu'on lui proposait, et annonça que le monde entier avait sombré dans la guerre. Marie regarda par la fenêtre de la cuisine, qui donnait sur des cours nues.

« Pas là, expliqua Louis. En Corée. »

Marie et sa mère n'avaient jamais entendu parler d'un tel lieu. Il parut évident à Mme Carette que c'était encore une manigance des Britanniques. « Ils ne peuvent pas vous prendre, Louis, affirma-t-elle, à cause de votre vue. » Louis répondit que cette fois-ci, ils allaient prendre tout le monde, les célibataires en premier. On permettrait peut-être à quelques hommes mariés de se rendre utiles en restant au pays. Mme Carette le prit dans ses bras. « Vous êtes mon fils maintenant, dit-elle. Je ne les laisserai jamais vous emmener en Angleterre. Vous pouvez vous cacher dans notre réserve à charbon. »

Marie n'avait pas compris que l'allusion à la guerre représentait une demande en mariage, mais sa mère s'en était avisée instantanément. Elle voulait téléphoner à Berthe et lui dire de revenir tout de suite à la maison, mais Louis était pressé de faire publier les bans. Marie se retira dans sa chambre pour enfiler la robe bain de soleil de Berthe en peau d'ange blanche, à jaquette, et des sandales à talons en daim blanc. Elle s'enduisit les jambes d'une crème bronzante appartenant à Berthe, en espérant que sa mère ne s'apercevrait pas qu'elle était sans bas. Elle défit les bigoudis et se peigna, mit du rouge à lèvres, des boucles d'oreille et des lunettes en forme de papillon qui appartenaient également à Berthe. Puis, pour la première fois, elle descendit avec Louis les marches du perron pour aller dans la rue.

A l'église paroissiale de Marie, ils trouvèrent d'autres couples en attente, venus prendre conseil. Ils avaient entendu les nouvelles et avaient décidé de se marier immédiatement. Marie et Louis se tenaient par la main, comme s'ils étaient fiancés depuis longtemps. Elle espérait que personne ne s'apercevrait qu'elle ne portait pas de bague de fiançailles. Malheureusement, on ne pouvait pas afficher leurs bans avant le mois de juillet, ni les marier avant le mois d'août. Les parents de Louis ne seraient pas là pour leur donner la bénédiction : le jour dit, à l'heure même de la cérémonie, ils seraient en route pour Rome.

Le lendemain, il se rendit chez un bijoutier de la rue Saint-Denis, recommandé par Mme Carette, mais celui-ci était à court de bagues de fiançailles. Ce jour-même, il avait vendu jusqu'à la dernière. Louis ne chercha pas ailleurs ; Mme Carette avait dit que c'était le seul en qui elle eût confiance. La mère de Louis envoya des bagues, en recommandé. Elles avaient été enlevées de la main de sa sœur défunte, qui avait souhaité qu'on les transmît à son fils, mais ce fils s'était volatilisé dans Springfield et n'envoyait plus de cartes de vœux à Noël. Mme Carette dégagea sa robe de mariée des couches de papier de soie qui l'enveloppaient et fit quelques retouches pour qu'elle aille à Marie. Des soieries d'une telle qualité étaient introuvables depuis la guerre.

En attendant le mois d'août, Louis vint voir Marie tous les jours. Ils prenaient le tramway jusqu'à l'avenue Mont-Royal pour aller manger du poulet grillé au charbon de bois. (Un soir, Marie laissa tomber sa bague de fiançailles dans une rainure du plancher du tram, et plusieurs inconnus lui dirent de faire attention, sans quoi elle risquait aussi de perdre son homme.)

Le poulet arrivait couché sur un lit de frites, dans une corbeille en osier. Louis montra à Marie comment on mangeait la viande grillée sans couteau ni fourchette. Heureusement que Mme Carette n'assistait pas au spectacle de Marie rongeant un os. Elle était en train d'achever la confection du trousseau et n'avait pas le temps de servir de chaperon.

Les employeurs de Berthe l'envoyèrent passer un week-end prolongé à Buffalo. Elle en rapporta des pochettes d'allumettes au nom de restaurants polonais et allemands, un cendrier portant l'inscription « Buffalo Hofbrau » et un certain nombre d'articles qui coûtaient beaucoup moins cher là-bas, comme les bas en nylon. Marie demanda s'ils mangeaient encore avec des couteaux et des fourchettes à Buffalo, ou s'ils avaient rattrapé Montréal.

Assises dans la cuisine, seules, Mme Carette et Berthe papotaient ensemble à propos de Louis. Les rideaux d'été blancs avaient été pendus, le fourneau à bois et à charbon était recouvert d'une toile cirée blanche impeccable. Berthe portait un kimono neuf, blanc, avec des pagodes rouges sur les manches. Ses pieds chaussés de mules rouges neuves étaient calés contre la porte du fourneau. Elle fumait à présent et transportait le cendrier de la Buffalo Hofbrau partout avec elle. Mme Carette lui fit promettre de ne pas fumer devant l'oncle Gildas, ni dans la rue, ni à la réception pour le mariage de Marie, ni dans le salon, où l'odeur risquait d'imprégner les rideaux.

Parfois, elles ne prenaient que du thé, des toasts et des gâteaux de chez Celentano pour le dîner. Quand Berthe mangeait un éclair au café, elle disait : « En voilà toujours un que Louis n'aura pas. »

Les soirées joyeuses, avec leurs soupers et leurs jeux de cartes s'évanouirent dans le passé et semblèrent appartenir à une époque révolue quand arriva le mois d'août. Louis dit à Marie : « Nous, nous savons nous distraire. Les gens ne prennent plus plaisir à rien. » Il pensait que les autres clients du grill souffraient de tourments secrets, lancinants. En attendant la corbeille de poulet, il tenait la main de Marie et dévisageait les hommes susceptibles d'être grecs. Il tenta de lui confier ce qui l'avait accaparé entre le 3 et le 25 juin, mais Marie ne s'y intéressait pas, alors il y renonça. Ils prirent d'un commun accord une première décision d'importance : ni l'un ni l'autre n'avait envie du service bleu à décor chinois. Louis dit qu'il demanderait à ses parents de leur offrir six couverts d'English Rose pour commencer. Elle avait l'air d'écouter encore, alors il lui confia qu'il avait toujours pris le nom de son église paroissiale, Saint-Louis-de-France, pour un signe qui lui était adressé : c'était une force obscure qui avait dû le guider vers la rue Saint-Hubert et vers elle. Les doux yeux bruns de Marie ne cillèrent pas. Elle et Louis oublièrent l'oncle Gildas et ce qu'il avait dit pour leur faire peur.

Le mariage de Louis et Marie eut lieu le troisième samedi d'août ; les fleurs d'un mariage précédent étaient amoncelées le long des balustres du chœur et deux autres noces attendaient au fond de l'église. Berthe eut le sentiment que Marie, en acceptant la bague d'une morte et en portant la robe d'une femme devenue veuve à vingt-six ans, était en passe de s'attirer la plus noire des infortunes. Elle se rappelait l'innocence de sa nudité sous la robe de ratine. Marie n'avait pas de dettes. Elle ne devait rien à Louis. Elle lui avait épargné un long voyage vers une terre étrangère, peut-être même la mort. Comme il lui passait l'anneau du malheur au doigt, Berthe fondit en larmes. Elle savait que certains des témoins — l'oncle Gildas, ou Joseph et Raymond Driscoll, étonnants de ressemblance rousse — la prenaient pour une aînée jalouse, regrettant de ne pas être à la place de sa sœur.

Marie, Mme Driscoll à présent, se tourna vers Berthe et sourit, comme elle le faisait quand elle était petite. Une fois de plus, ce sourire signifiait : est-ce que j'ai bien fait ? Est-ce ce que tu souhaitais ? Oui, oui, dit Berthe silencieusement, tout en pleurant. Marie s'était toujours tournée vers Berthe ; elle avait appris à marcher parce qu'elle voulait rejoindre Berthe. Elle était debout, agrippée à une chaise de cuisine et tout d'un coup, elle avait souri et lâché prise. Plus tard, quand elle avait trois ans et qu'elle avait pris l'habitude d'enlever ses vêtements et de montrer ce qu'on doit toujours cacher, Mme Carette l'avait enfermée dans la remise derrière la cuisine. Berthe, agenouillée devant la porte, sanglotait et criait : « N'aie pas peur, Marie. Berthe est là. » Mme Carette s'était radoucie et avait ouvert la porte derrière laquelle se tenait Marie, en petite chemise, souriant pour Berthe.

Conduisant sa mère, Berthe s'approcha des balustres du chœur. Marie paraissait heureuse : Berthe n'en demandait pas plus. Elle embrassa sa sœur ainsi que le mari qu'on lui avait choisi. Il ne les avait pas séparées, mais il allait constituer un incident prolongé dans leurs vies. Parmi les photographies prises sur le parvis de l'église, il y en a une où l'on voit Louis entre les deux sœurs, les entourant de ses bras, et les sœurs qui essaient de joindre leurs mains derrière son dos.

La noce descendit les marches et tourna le coin de la rue en procession : une autre impression en noir et blanc. Le pavé d'août était brûlant sous les semelles minces des femmes. Elles avaient trop chaud avec leurs beaux vêtements. Des enfants qui jouaient dans la rue se mirent à applaudir en voyant Marie. Elle agita la main gauche pour montrer son alliance. Les enfants étaient encore canadiens français, comme les voisins, sortis sur leurs balcons pour regarder Marie.

Il tomba trois feuilles jaunes, blanches sur une photographie. Un des Driscoll courut devant et fit arrêter le groupe. Voilà Marie, qui ne comprend pas encore qu'elle quitte sa famille, et Louis, plein d'assurance, si près de prendre connaissance de l'ignorance stupéfiante de sa femme.

Berthe vit la rue comme si c'était elle qui était penchée au-dessus du petit appareil photographique, essayant de cadrer droit. Le cliché était important, comme un instrument de mesure précis : tant de sens du devoir, tant d'amour, tant de sécurité à haut risque : c'était la distance entre avril dernier et le moment présent. Elle pensa : il fallait le faire. Ils se remirent en marche. Mme Carette comprit pour la première fois que par leur intervention, ils avaient perdu Marie sans retour, elle, l'oncle Gildas et Berthe. Elle dit à celle-ci : « Attends que je sois morte pour te marier. Tu pourrais épouser un veuf. Ils font de bons maris. » Berthe avait près de vingt-quatre ans, l'âge limite. Elle avait éconduit tant de soupirants séduisants, sans explication, elle en avait effrayé tant d'autres par son habileté aux cartes et la vivacité de ses yeux bleus que le bruit s'en était répandu et qu'on la courtisait moins qu'avant.

Berthe et Marie s'éclipsèrent de la réception — c'est-à-dire, passèrent du salon dans la chambre — pour que Berthe aide sa sœur à faire sa valise. Il apparut que Mme Carette s'en était chargée. Marie n'avait jamais eu à préparer de bagages et n'aurait pas su ce qu'il fallait y mettre en premier.

Elles restèrent un certain temps à chuchoter, assises au bord d'un lit. Berthe fumait, avec le cendrier Buffalo Hofbrau à la main. Elle montra à Marie un briquet en laque noire qu'elle n'avait pas fait voir à leur mère. Marie avait commencé à se changer : elle n'était vêtue que d'une combinaison. Elle examina le briquet minutieusement, puis le rendit. Louis l'emmenait au Château Frontenac à Québec, pour trois nuits, l'équivalent de dix jours à Old Orchard, avait-il expliqué. Ensuite, ils iraient tout droit s'installer dans le pavillon, assez loin vers le nord sur le boulevard Pie IX, que le père de Louis l'aidait à acheter.

«Je t'appellerai demain matin», dit Marie, pour qui demain, c'était encore la même chose qu'aujourd'hui. Si l'oncle Gildas s'était trouvé à la merci de Berthe, elle lui aurait tenu la tête sous l'eau. Ensuite, elle se dit : pourquoi lui en vouloir ? Elle et Marie étaient des jeunes filles de Montréal, formées non pour être les compagnes de héros, ni pour défendre leur droit aux rêves, mais simplement pour être patientes.

De nuage en nuage

Ce que Raymond faisait vivre à sa famille ressemblait à un long voyage en chemin de fer, avec des points de vue qui se modifieraient sans cesse. Sa mère et sa tante appartenaient à une génération pour laquelle voyager était synonyme de trains : de lents trajets, à l'aller et au retour, où les repas et les jeux de cartes avec des inconnus revêtaient une importance extrême, jusqu'à ce qu'ils soient interrompus par un éclat de lumière céleste provenant du Saint-Laurent gelé qui renvoyait le soleil. Survenaient ensuite les taudis brun foncé des abords de Montréal, signalant le moment de descendre les bagages du filet.

Pour être bref, sa tante Berthe (elle travaillait dans un bureau plein de Canadiens anglais) aurait dit que Raymond, c'était le paradis et l'enfer. La mère et la tante, les deux sœurs, avaient cru qu'elles ne pourraient jamais aimer personne plus qu'elles n'aimaient Raymond ; puis, subitement, sa tante eut le sentiment qu'il était si constamment imparfait, si obstiné dans ses défauts que les points de vue changeants de ses humeurs, décisions, besoins, de sa vie, cessèrent de retenir son attention.

Il avait eu un père, bien sûr, l'avait eu jusqu'à l'âge de dix-huit ans, même si Raymond avait coutume de se plaindre que c'étaient des femmes qui l'avaient élevé, mal. Ses derniers souvenirs de son père devaient sûrement être de Louis se mourant d'emphysème, calé dans le fauteuil d'osier peint en blanc, sous un soleil ardent interdit, broyant un cigare interdit. L'arrière-cour en partie pavée était dépourvue d'ombre, n'étaient deux parasols jaunes à franges qui filtraient le bleu de juillet et le rendaient bilieux. Louis ne pouvait pas rester assis à leur ombre trompeuse, disant qu'elle le faisait transpirer. Derrière les parasols se trouvait l'entrée de service d'un pavillon en crépi et en brique, de style fin années quarante — un cube avec des portes vernies — à l'extrémité nord du boulevard Pie IX. « Souviens-toi que ton père était propriétaire de sa maison, » disait Louis, ainsi que : « Lorsque nous nous sommes installés ici, il restait des terrains vagues. Cela déprimait ta mère. Elle n'avait pas l'habitude des vues dégagées. »

A l'ancien emplacement du bac à sable de Raymond était érigée une vasque en granit avec trois oiseaux en aluminium, gros comme des pigeons, perchés sur le bord, cadeau des employeurs de Louis lorsqu'il fut obligé de prendre une retraite anticipée en raison de sa grave maladie. Il possédait déjà une montre en or. Il dit à Raymond exactement où la trouver dans son bureau, dans quel tiroir. Raymond était assis en tailleur sur le gazon, s'exerçant à lancer un couteau de cuisine ; sa mère avait déniché et fait disparaître son poignard de commando. Son père parvenait à respirer mais devait marquer un temps d'arrêt avant de parler. En attendant d'avoir repris ses forces, il regardait le ciel, la lune en présence du soleil, pâle et transparente, rappel de douzaines d'autres lunes à leur déclin. (C'était l'été de la première marche sur la lune. La mère de Raymond en parle encore, comme si cela avait exercé une influence marémotrice sur ses affaires.)

Les intervalles de silence, le regard levé, donnaient l'impression que Louis cherchait l'assistance divine. En fait, il savait tout ce qu'il voulait dire. Comme Raymond. Même sa tante ne va pas le nier, Raymond manifestait du respect. Pas une seule fois il n'objecta : «Je l'ai déjà entendu», ni ne proféra la réplique méprisante des jeunes : «Je sais, je sais, je *sais.*»

Son père le conseillait : «Il y a toujours eu des emplois intéressants à Boston», «N'oublie pas ton français, car cela briserait le cœur de ta mère», «Un de ces jours, il va falloir que tu te fasses couper les cheveux», «Épouse une catholique, mais pas n'importe laquelle», «Avec un nom comme Raymond Joseph Driscoll, tu peux aller n'importe où dans le monde», «Mon album d'autographes vaut une fortune. Ne t'en sépare jamais. Il pourra toujours te tirer d'un mauvais pas.»

Pendant toute sa vie, Louis avait écrit aux champions de hockey, aux vedettes de cinéma et aux politiciens locaux, qui lui avaient répondu assez souvent. Enfant, Raymond le regardait découper la signature et la coller dans un album relié en cuir bleu marine. Maintenant qu'il est installé en Floride où il essaie de faire carrière dans les motels, sa vie tout entière est un mauvais pas. Il a peine à croire que cet album ne vaut rien. Malheureusement, c'est le cas. La plupart des signatures étaient des fac-similés ou des copies faites en vitesse par une secrétaire. Les rares signatures authentiques étaient de noms trop obscurs pour avoir de l'intérêt. La demi-douzaine que Louis avait achetée à un marchand spécialisé dans Peel Street, contraint depuis lors à fermer boutique, étaient des faux patentés. Louis conservait «Joseph Staline» et «Harry. S. Truman» dans un tiroir fermé à clé et disait à Marie, sa femme, que si jamais le Canada était occupé par l'une des deux grandes puissances, elle pourrait, grâce au troc, se tirer d'affaire.

Raymond avait une crinière de cheveux roussâtres peu fournis qui cachaient son profil quand il se penchait pour ramasser le couteau. Il portait un accoutrement de rodéo de cirque, blanc et argent. Louis ne supportait pas la vue des vêtements de son fils ; d'humeur difficile à l'approche de la mort, il en donna un certain nombre, si bien que Raymond mettait ses tenues préférées à l'abri chez sa tante. Elle habitait au deuxième étage d'un immeuble sans ascenseur, avec des balcons sur les deux façades, un long vestibule frais, trois chambres, à l'ouest du parc Lafontaine. Elle n'était pas mariée et n'avait pas besoin de tout cet espace, mais elle était heureuse simplement d'aller de pièce en pièce.

Louis parlait anglais à Raymond pour qu'il puisse réussir dans l'existence. Il voulait qu'il entre dans une école de commerce anglaise, où il pourrait rencontrer des gens susceptibles de lui rendre service plus tard. La tante de Raymond disait que son anglais était meilleur que celui de Louis : ses « th » avaient tendance à devenir des « d ». Louis, haletant, apprit à Raymond que Berthe, si prétentieuse qu'elle fût, avait moins de biens que sa sœur et son beau-frère, bien qu'elle semblât avoir plus d'argent à jeter par les fenêtres. « Un petit loyer dans n'importe quel voisinage minable — voilà son credo », disait le père de Raymond. Pendant les derniers jours de sa vie, mauvais, amers, il paraissait obsédé par Berthe, comparant sa carrière avec la sienne propre, affirmant qu'elle était habitée du désir de coucher avec des hommes mariés. Mais avant de mourir, il retira chacune de ses affirmations, disant qu'elle s'était montrée une amie fidèle envers lui et qu'elle pourrait servir d'exemple aux autres femmes, mais pas forcément aux femmes mariées. Il souhaitait qu'elle veille sur Marie et Raymond : il avait l'impression, confia-t-il, de laisser derrière lui deux enfants désarmés, l'un âgé de dix-huit ans, l'autre de quarante, avec les deux voitures, le précieux album d'autographes, la montre en or et la maison entièrement payée.

Louis laissait aussi une requête gênante, manuscrite, demandant à être enterré dans le New Brunswick, d'où il était originaire, plutôt qu'à Montréal. La mère de Raymond cacha ce message derrière un coussin du canapé, où il serait découvert plus tard, lorsqu'on ferait le ménage à fond. Elle n'avait pas le courage de le déchirer. On enterra Louis au cimetière de Notre-Dame-des-Neiges, où Marie avait l'intention de le rejoindre, mais pas dans l'immédiat. Elle commanda une inscription bilingue pour la pierre tombale, parce qu'il avait parlé anglais au bureau et français avec elle.

A cette époque, Raymond parlait le français et l'anglais à égalité, les deux imparfaitement. Son anglais était celui d'une subdivision du Montréal catholique, sonnant un peu irlandais, mais d'une tonalité moins chaude qu'aucune entendue à Dublin. Son vocabulaire français était tiré de conversations avec sa mère et sa tante et aurait dû être plein de tendresse.

Il ne savait pas ce qu'il voulait faire dans la vie. « Si jamais j'écris, ce sera un livre sur ma famille », dit-il à sa tante, le jour des obsèques de Louis, en regardant ses proches, empruntés dans leurs vêtements noirs imbibés de chaleur. C'était la première fois, et sans doute la dernière, qu'il le disait. Ce pauvre Raymond pouvait à peine griffonner une lettre, ne savait pas l'orthographe. Apprendre ne l'ennuyait pas, mais il détestait être enseigné. Après son départ de la maison, il était rare que Marie ou Berthe eussent l'occasion de voir son écriture. Elles entendaient sa voix au téléphone, appelant de divers lieux américains (pour elles, le Viêt-nam était un lieu américain) avec un accent qui se modifiait peu à peu. Son français se remplit d'anglais, comme un dépôt de sable et de cailloux, mais lorsqu'il parlait anglais, il n'était pas tout à fait devenu un étranger : il conservait des inflexions montréalaises.

Raymond se comporta correctement aux obsèques, prenant le bras de sa mère, s'assurant que chacun pût s'entretenir avec elle, amenant les parents qui le connaissaient peu à s'exclamer qu'il était le portrait craché de son père. Il portait un costume sombre, acheté en hâte, et une cravate qui avait appartenu à Louis. Il n'en avait pas mis depuis les dernières funérailles dans la famille et c'est Berthe qui dut lui faire le nœud. Il lui permit de rafraîchir un peu sa coupe de cheveux pour qu'ils ne lui tombent pas sur les épaules.

Marie ne désirait pas offrir de réception; il fallut que les membres du cortège funèbre se contentent d'un baiser ou d'une poignée de mains à côté de la tombe ouverte. Les parents du côté de Louis, dont certains venaient de loin, repartirent avec les débris d'une fracture qui ne se réduirait jamais. Marie n'en avait cure : le champ de ses sentiments familiaux s'était rétréci à Raymond et Berthe. Après l'enterrement, Raymond emmena les deux sœurs chez Berthe en voiture. Assis auprès de sa mère à la table de la cuisine, il regarda Berthe découper un poulet froid. Marie avait gardé le chapeau qu'elle portait pour les obsèques, une toque en paille noire avec un brin de voilette. Il ne se dit pas grand-chose. Le poulet était insuffisant pour Raymond, aussi Berthe sortit-elle le jambon qu'elle avait fait cuire la veille au cas où Marie changerait d'avis et inviterait la famille. Elle le déposa entier devant lui et il s'en tailla de grands morceaux qu'il mangea avec les doigts. « Tu n'oserais pas faire ça si ton père te voyait », dit Marie, parce qu'il fallait qu'elle dise quelque chose. Elle et Berthe savaient qu'il passait un mauvais moment.

Quand il eut terminé, ils passèrent dans le séjour de Berthe, au bout du couloir. Elle ouvrit les portes-fenêtres des deux balcons pour créer un courant d'air. La brise chaude frôlait le rideau blanc retenu avec une embrasse, sans en déplacer le moindre pli. Raymond enleva sa veste et sa cravate. Les femmes avaient déjà ôté leurs bas noirs. Le respect pour Louis les retenait de se mettre complètement à l'aise. Elles n'avaient rien de spécial à faire pendant le reste de la journée. Berthe avait pris un congé du bureau et Marie avait peur de rentrer chez elle. Elle pensait qu'une émanation de Louis, pas tout à fait un fantôme, se trouvait dans leur maison, boulevard Pie IX, en train de vérifier les serrures, de tourner les boutons des portes, d'ouvrir les tiroirs, d'examiner le fouillis des pauvres comptes domestiques de Marie, établissant une fois pour toutes la somme exacte que Marie devait à Berthe. (Berthe l'avait toujours obligée en lui faisant de petits prêts vers la fin du mois. Elle avait expliqué à Marie comment truquer la comptabilité pour que Louis n'en sache jamais rien.)

Raymond s'étendit sur le canapé vert pâle, avec une pile de coussins sous la tête. « Raymond, fais attention où tu mets les pieds, avertit sa mère.

— Ça ne fait rien, répliqua Berthe. Pas aujourd'hui.

— Je ne veux pas que tu nous trouves de trop, expliqua Marie. C'est-à-dire, une fois que nous serons installés. Tu ne te rendras jamais compte que nous sommes là. Raymond, demande un cendrier à ta tante.

— Il y en a un juste à côté de lui, indiqua Berthe.

— Je ne permettrai pas à Raymond de mettre les pieds partout sur tes meubles. Aujourd'hui seulement. Si tu ne veux pas de nous, tu n'as qu'à le dire.

— J'ai dit. »

A ces mots de Berthe, Raymond tourna la tête et la regarda attentivement.

Les yeux de Marie se remplirent de larmes à la vision improbable de Berthe ordonnant à ses plus proches parents, fraîchement endeuillés, de faire leurs bagages et de partir.

« Nous allons être heureux parce que nous nous aimons, affirma Marie.

— As-tu demandé à Raymond où il veut habiter ? dit Berthe.

— Raymond veut ce que veut sa mère, répliqua Marie. Il sera gentil, je te le promets. Il descendra la poubelle. N'est-ce pas, Raymond ? Tu sortiras la poubelle tous les soirs pour tante Berthe ?

— Pas tous les soirs, précisa Berthe. Deux fois par semaine. Ne pleure pas. Louis ne voudrait pas te voir en larmes. »

Un accès de timidité les émut tous les trois. Louis revint en mémoire, faisant montre de sa supériorité, donnant des conseils, indiquant une ligne de conduite.

« Papa ne nous en voudrait pas de regarder les informations », dit Raymond.

Pendant moins d'une minute, ils regardèrent un tapis ondoyant de jungle verte, filmé d'hélicoptère, et entendirent une voix française à l'accent de Montréal décrire ce qui se passait dans un endroit où les sœurs n'avaient aucune intention de se rendre. Raymond passa sur une chaîne anglaise, sans demander si cela ennuyait quelqu'un. C'était lui le chef de famille à présent ; de toute façon, elles avaient toujours cédé.

Le Viêt-nam en anglais parut offrir de solides garanties, par l'entremise d'un sergent canadien des *Marines*, cheveux tondus ras, yeux gris, bien dans sa peau. Il s'adressa à Raymond, lui disant qu'un Canadien pouvait sans problème s'engager dans une armée étrangère.

« Qu'est-ce que ça peut bien faire ? » demanda Marie, avec des conséquences fatales. L'anglais à la télévision l'endormait toujours. Elle se renversa dans son fauteuil et se mit à ronfler très doucement. Berthe lui enleva ses lunettes et son chapeau et lui étendit un couvre-lit en dentelle sur les jambes. Même par la plus grande chaleur, il lui arrivait de se réveiller en se sentant gelée, privée d'amour. Elle s'évanouissait facilement : sa théorie, c'était que le sang se glaçait dans ses bras et ses jambes, négligeant son cerveau. Elle paraissait se contenter de cette explication et n'en cherchait pas d'autre.

Raymond se redressa, faisant tomber la pile de coussins. Il se fit un chignon sur le sommet du crâne et le tint fermement. « On vous envoie à San Diego », dit-il. Que voyait-il vraiment ? La barre du Pacifique ? Un défilé ensoleillé ? Berthe aurait dû le lui demander.

Quand Marie reprit ses esprits, bâillant et soupirant, Berthe était en train de se mettre du vernis à ongles — elle l'avait enlevé pour les obsèques — et Raymond mangeait un gâteau au chocolat en regardant Rod Laver. Il avait enlevé chemise, chaussures et chaussettes.

« Laver, c'est le plus grand homme du monde moderne, affirma-t-il.

— Ah, Raymond, dit sa mère. Tu as déjà oublié ton père. »

Ainsi que Marie l'avait promis, il sortit la poubelle, faisant une bonne impression à la famille portugaise qui habitait en bas. (Louis, qui ne parlait pas aux étrangers, n'avait fait aucune impression.) Le lendemain matin à cinq heures, le voisin de Berthe, un marchand de légumes qui était debout parce qu'on le livrait de bonne heure, vit Raymond jeter un sac marin dans la voiture de sa mère et démarrer. Ses cheveux étaient attachés avec une lanière de cuir blanc. Il portait une de ses tenues de rodéo et des bottes blanches.

Avant de quitter l'appartement, il avait vidé le sac à

main de Berthe, oublié sur une chaise de la cuisine, un siècle avant, quand ils s'étaient réunis pour le repas de funérailles. Avant de quitter Montréal, il avait fait un grand détour pour prendre congé de son ancienne demeure. Lui n'avait pas peur des fantômes et s'était déjà inventé un père qui allait approuver tout ce qu'il faisait. Dans le bureau de Louis, il trouva la montre en or et un ou deux documents dont il savait qu'ils lui seraient nécessaires, notamment l'acte de naissance qui prouvait qu'il avait dix-huit ans. La dernière impression qu'il emporta fut celle du gazon jauni dans l'arrière-cour. Rien n'avait été arrosé depuis la mort de Louis.

Berthe s'était souvent demandé ce que les *Marines* du bureau de recrutement, là-bas à Plattsburgh, avaient pensé de Raymond, tout en blanc et argent, avec ces longs cheveux ternes, couleur de poussière de brique, et son anglais incorrect. Rien, sans doute. Ils devaient s'attendre à ce que les civils ressemblent à de faux saltimbanques. Il en arrivait sans cesse de Montréal, en ordre dispersé. C'était comme un engagement dans la Légion.

Après le premier coup de téléphone de Raymond, Berthe dit à Marie : « Au moins, nous savons où il est », mais ce n'était pas le cas : elles ne le surent jamais précisément. Il n'alla pas à San Diego : une règle de géographie militaire coupe le continent en deux. Il s'était enrôlé à l'est du Mississippi, alors on l'envoya faire ses classes à Parris Island. Le *Marine* canadien avait oublié de mentionner cette éventualité. Berthe acheta un grand nombre de cartes routières pour pouvoir repérer ces noms nouveaux. Il semblait que le Mississippi s'arrêtait net à Minneapolis. Il n'avait rien à voir avec le Canada. Raymond aurait dû faire demi-tour et rentrer à la maison. (Au lieu de quoi, il avait laissé la voiture garée à Plattsburgh. Plus tard, il fut incapable de se rappeler le nom de la rue.)

Il n'est jamais revenu. Autrefois, il donnait comme excuse qu'il n'avait nulle part où séjourner à Montréal. Marie avait vendu le pavillon et s'était installée chez Berthe. La dernière chose qu'il avait envie de voir pendant ses vacances, c'était un motel, et il savait que Berthe ne voudrait pas le recevoir.

Il s'engagea pour quatre ans, puis trois de plus. Marie le considéra comme un prisonnier qu'on relâcherait au bout d'un certain temps. Qu'on lâcherait honorablement ? Oui, sinon il n'aurait pas été autorisé à s'installer en Floride : il était encore canadien en 1976 et on pouvait facilement l'expulser. Quand il devint citoyen américain et qu'il appela Marie, s'attendant à des félicitations, elle lui dit que quatre-vingt-dix-huit pour cent des feux de forêt dans le monde étaient allumés par des Américains. C'est tout ce qu'elle trouva à dire.

Il est toujours resté là-bas, se déplaçant comme un pendule entre Hollywood North et Hollywood Beach, Fort Lauderdale et ce quartier de Miami connu sous le nom de Little Quebec, en raison du nombre de Canadiens français qui y passent leurs vacances. Ils ont leur propre journal, leur station de radio, leur chaîne de télévision. Ils importent des salaisons de Montréal. D'entendre leurs voix l'irrite parfois, parfois le rend nostalgique de cet été de 1969, de l'aisance avec laquelle il bondissait de nuage en nuage.

Marie croit encore que « Parris Island » était une des fameuses fautes d'orthographe de Raymond. Il avait dû passer une partie de sa jeunesse, la plus obscure, dans un endroit qui s'appelait Paris, en Caroline du sud. Elle se demande comment font les autres mères avec leurs fils, et si les enfants ont la moindre conscience de la douleur qu'ils infligent. Berthe pense combien Raymond avait dû trouver facile de partir, sous le soleil qui venait de se lever, s'infiltrant à l'oblique dans les rues transversales ; avec les perrons lavés ici ou là, et un ciel qui n'était pas encore en verre ardent. Il devait supposer que c'est ainsi qu'allait se dérouler le reste de sa vie. Quand elle et Marie avaient fouillé de fond en comble le pavillon du boulevard Pie IX, en quête d'indices, se disant qu'il avait laissé une lettre, laissé de l'amour, elles avaient gardé les rideaux tirés, comme s'il y avait une autre présence dans ces pièces, qui ne supportait plus la lumière du jour.

La Floride

Marie, sœur de Berthe Carette, passa huit des Noëls de sa vie en Floride, où son fils faisait carrière dans les motels. Chaque fois que Marie s'y rendait, elle trouvait Raymond en train de redémarrer dans un nouvel endroit : ses motels avaient l'air de pourrir entre ses mains. Quand elle rentrait à Montréal, elle était parcourue d'électricité statique. Berthe ne pouvait pas lui tendre une petite cuillère sans recevoir de décharge, comme une petite balle de revolver en argent. Sa sœur était persuadée que l'origine de ce courant était la modification chimique qui avait lieu au décollage de Fort Lauderdale en direction d'une ville humide, sombre, enneigée.

Marie vivait avec Berthe depuis 1969, année de la mort de son mari. Elle comptait toujours recevoir ce que Berthe voyait comme les services que rend un mari : accueil à l'aéroport, appel des taxis, portes tenues, distribution de pourboires. Il fallait que Berthe prenne un bus jusqu'à Dorval Airport, apportant le moins bon des manteaux de fourrure de Marie, et ses bottes à talon haut dans un sac en plastique. A travers les parois vitrées, elle pouvait suivre des yeux sa sœur qui passait la douane, arborant quelque tenue nouvelle, couleur de sorbet — fraise, citron-pêche — ses accessoires, et parfois même ses cheveux, y étant assortis. Elle savait que Marie aurait pris la précaution d'enlever des vêtements les étiquettes des magasins et fabricants américains, et d'en coudre des canadiennes à la place, au cas où on lui demanderait de se déshabiller à la douane.

« Ne me dis pas qu'on est encore en hiver », gémissait Marie en embrassant Berthe, comme si elle était partie depuis des mois, et non quelques jours seulement. Tandis qu'elle aidait Marie à enfiler les manches en vison de deuxième qualité (pattes et pièces), Berthe recevait la première des petites décharges argentées.

Une année où son fils Raymond s'était amouraché d'une femme divorcée qui avait deux fois son âge (cela n'avait pas duré), à son retour, Marie crépitait, faisant jaillir des étincelles de tout ce qu'elle touchait. Quand elle mangeait une pastille de menthe, elle la sentait détoner dans sa bouche. Berthe avait placé un pot de narcisses blancs en fleurs sur la coiffeuse de Marie, comme cadeau de bienvenue, reflété à l'infini dans les trois glaces. Marie longea le couloir moquetté en traînant les pieds, toujours chaussés de bottes. Elle avait gardé son style Floride, affectant d'être tombée par erreur dans l'appartement de Berthe. Dès qu'elle vit la plante, elle alla tout droit lui donner un baiser. La fleur prit la décharge et la renvoya violemment. Berthe examina la lèvre de Marie à l'endroit qui avait été électrisé. Elle ne trouva rien, pas la moindre trace. Néanmoins, Marie y appliqua un cube de glace.

Elle attendit minuit avant d'appeler Raymond, pour pouvoir bénéficier du tarif réduit. Sa ligne sonna occupé jusqu'à deux heures du matin : il expliqua qu'il avait eu la visite de la police qui enquêtait à la suite d'une rumeur. Marie lui raconta l'histoire de la plante. Il la lui fit répéter deux fois, puis supposa qu'elle avait emmagasiné de l'électricité statique en restant debout en bottes sur un tapis à grandes boucles. Elle ne s'était pas parfaitement remise à la terre quand elle s'était approchée de la fleur.

« Raymond aurait pu mieux se débrouiller dans la vie », regretta Marie en raccrochant. Berthe, qui était encore éveillée, pensa qu'il avait fait tout ce qu'il pouvait, compte tenu de ses moyens intellectuels et de son caractère. Elle ne le dit pas : elle ne parlait jamais de son neveu, ne prenait jamais de nouvelles de sa santé. Il avait quitté la famille très tôt et provoqué beaucoup de chagrin et d'ennuis.

Au huitième séjour de Marie, Raymond vint la chercher à l'aéroport avec une personne maigrichonne dont il expliqua que c'était sa femme. Elle avait des cheveux blonds foncés et une de ces permanentes sans mise en plis, tirebouchonnante. Marie la regarda, puis détourna les yeux. Raymond l'informa qu'il était retourné à Hollywood North. Marie répondit que cela lui était égal, pourvu qu'elle ait quelque part où dormir. Ils quittèrent l'aérogare en silence.

« Qu'est-ce que c'est que cette voiture ? demanda-t-elle à l'extérieur. Japonaise ? Ton père aimait les Buick.

— Elle appartient à Mimi », répondit-il.

Marie monta devant, à côté de Raymond, et la maigrichonne se glissa derrière. Marie s'adressa à Raymond en français : « Tu ne m'as pas dit son nom.

— Bien sûr que si. Je te l'ai présentée. Mimi.

— Ce n'est pas un nom, Mimi.

— C'est le sien.

— Ce n'est pas possible. C'est un diminutif, de Michèle. As-tu jamais entendu parler d'une sainte Mimi ? Ce n'est pas une divorcée, au moins ? Vous vous êtes mariés à l'église ?

— Dans un genre d'église. Mimi appartient à un mouvement chrétien. »

Marie savait ce que cela signifiait : des rites païens.

« Tu n'as pas adhéré à ce truc, ce mouvement ?

— Je ne veux pas adhérer à quoi que ce soit, répondit-il. Mais ma vie en a été changée. »

Marie essaya de réfléchir à cette affirmation méthodiquement, passant en revue minutieusement ce qui, dans la vie de Raymond, avait besoin d'être changé.

« Quelle sorte de femme serait prête à épouser un fils unique sans la bénédiction de sa mère ? demanda-t-elle.

— Mom, dit Raymond, passant à l'anglais, en oubliant peut-être qu'elle détestait qu'il l'appelle ainsi. Elle a vingt-neuf ans. J'en ai trente-trois.

— Quel était son nom de jeune fille ?

— Demande-le-lui. Je n'ai pas épousé sa famille. »

Marie donna de l'aisance à sa ceinture de sécurité et se retourna en souriant. La femme avait les yeux fermés. Elle avait l'air de prier. Sa peau, semée de taches de rousseur, était d'une pâleur étonnante sous ce climat ; Mimi avait peut-être atteint une de ces oasis du cœur où le temps ne connaît pas d'extrêmes.

Quant à Raymond, il était aigu et sec, avec un front haut et fiévreux. Son passé s'était évaporé. Cela l'agaçait d'avoir à parler français. Au cours d'un des séjours précédents de sa mère, il avait critiqué son accent de Montréal, disant qu'il avait entendu un meilleur français dans les rues de Saigon. Il alluma une cigarette, mais avant qu'elle ait eu le temps de dire : « Ton père est mort d'emphysème », il l'avait jetée.

Mimi, que la prière avait peut-être rendue patiente, prit la parole. « Je suis heureuse d'accueillir n'importe quelle mère de Raymond. Faites que nous puissions passer un Noël paisible, qui nous enrichisse mutuellement. » Sa voix entonnait une seule note soutenue, comme un récitatif de soprano. La timidité, pensa Marie. Elle lui jeta un second coup d'œil en coulisse. Ses yeux, ouverts à présent, étaient bleu pâle, avec de courts cils noirs. Elle paraissait tout à la fois séduisante et anxieuse, espérant se faire pardonner avant d'avoir énoncé le péché. C'était un point en sa faveur, mais qui ne suffisait pas à faire d'elle une catholique.

Raymond porta les bagages de Marie dans une chambre de motel convenable, avec des murs crème, des rideaux et un dessus de lit mandarine. Le motel avait l'air propre et prospère, mais cela avait aussi été le cas des précédents. Mimi s'était absentée pour des raisons personnelles. («J'ai mal au cœur», avait-elle confié en descendant de la voiture, une main tachée de son sur l'estomac, l'autre sur la gorge.)

«Ça va s'arranger», dit Raymond à sa mère.

Seul avec elle, il l'appela *Maman*, la mena jusqu'à la fenêtre et lui montra un drapeau canadien qui flottait à côté de la Bannière Étoilée. Cet établissement était plein de Canadiens, expliqua-t-il. Ils étaient aussi voleurs que des pies. Il y avait même un couple qui était parti avec les robinets de la salle de bains. «Des gens qui avaient l'air bien, en plus.

— Ton père ne disait jamais du mal de ses compatriotes», dit Marie. Elle ne désirait pas provoquer une discussion mais indiquer certaines limites. Il vérifia les serviettes de toilette, compta les cintres, monta (ou baissa, elle ne savait pas) la climatisation. Il se détourna pendant qu'elle se changeait, pour mettre une robe en mousseline de soie à motifs d'hibiscus, au cas où ils sortiraient. Dans une glace, il la regarda boucler ses sandales rouges, cadeau de Noël offert par Berthe.

«Mimi, c'est la première femme que je rencontre qui m'ait fait penser à toi», confia-t-il. Marie ne releva pas cette remarque. Ils traversèrent le parking bras dessus bras dessous et il lui montra diverses choses susceptibles de l'intéresser : des plaques d'immatriculation du Québec, deux palmiers moribonds. Par terre dans le hall, gisait un épicéa troussé, aux branches encore ligotées. Raymond le poussa doucement du bout de sa chaussure de sport. Il expliqua que l'arbre se trouvait là depuis une semaine et qu'il perdait déjà ses aiguilles. Peut-être que Marie et Mimi seraient prêtes à le décorer.

«Le décorer avec quoi ?» demanda Marie. Chaque année depuis sept ans, elle achetait des ornements que Raymond jetait toujours avec l'arbre.

«Je ne sais pas, répondit-il. Mimi veut que je l'installe sur un miroir.»

Marie l'interrogea sur sa fonction dans cet établissement. «Directeur», fut sa réponse, mais lui et Marie vivaient comme des gardiens dans une série de pièces mal organisées à côté du hall. Pour atteindre leur cuisine, qui servait également de réserve pour la bière et les boissons non alcoolisées, il fallait que Marie se glisse péniblement derrière le bureau de la réception. Toutes les portes étaient équipées d'un judas et d'une chaîne de sûreté. Chaque fois qu'on entendait sonner dans le hall, Raymond regardait attentivement avant d'enlever la chaîne. Il y avait un autre couple qui travaillait ici également, expliqua-t-il, mais ils étaient en congé pour Noël.

Ils dînèrent tous les trois dans la cuisine, à l'étroit entre des cartons et des cageots. Marie demanda un tablier, pour protéger sa mousseline. Mimi n'en possédait pas et parut stupéfaite de cette requête. Elle avait préparé des crevettes nature, du riz blanc et une salade de fruits banale. Rien d'étonnant à ce que Raymond soit en train de se dessécher. Marie lui montra des photographies de l'arbre de Noël de Berthe, rouge et or cette année.

Mimi contempla longuement une photo de Berthe, un verre à la main, assise jambes croisées, avec une jupe peut-être un peu trop remontée.

« Qu'y a-t-il dans le verre ? demanda-t-elle.

— Le gin fait beaucoup de bien à ma sœur. » Marie avait mangé sans plaisir ses crevettes, accompagnées de quelque boisson diététique.

« Je m'étonne qu'elle ne se soit jamais mariée, dit Mimi. Quel âge a-t-elle ? Cinquante et quelques ? Elle a encore l'air bien, physiquement et mentalement.

— Je suis surprise, déclara Marie en français. Je suis surprise du tour que prend cette conversation.

— Mimi ne critique pas Berthe, expliqua Raymond. C'est un compliment qu'elle fait. »

Marie se tourna vers Mimi. « Ma sœur n'a jamais été obligée de se marier. Elle a toujours bien gagné sa vie. Elle a les moyens de s'acheter ses manteaux de fourrure. »

Mimi ne savait rien de Berthe, chef de bureau adjoint chez les Brûleurs Prestige, une multinationale avec des tentacules dans deux villes, dont Cleveland. L'année dernière, Mr Linden, de l'agence de Cleveland, avait invité Berthe à dîner. Sa femme l'avait quitté et il était en train de se remettre de cette perte. Berthe comptait lui apprendre qu'elle s'était vouée pour la vie à l'entreprise et qu'elle n'avait pas de dévouement de reste. Elle suggéra le Ritz-Carlton : elle y était déjà allée une fois et avait une table de prédilection. Pendant le dîner, la conversation tourna autour des différentes façons d'accommoder la truite et les transformations architecturales ahurissantes qui s'effectuaient à Cleveland et à Montréal. Berthe signala que chaque fois qu'on faisait disparaître un point de repère, les gens disaient : « Ce n'est pas mieux qu'à Cleveland. » Il était difficile de concilier la nécessité de progresser et la légitimité de la tradition. Mr Linden répliqua que la tradition était flexible.

« J'apprécie votre démarche intellectuelle, dit-il. Si seulement vous aviez été un homme, Miss Carette, avec votre intelligence et votre aptitude à la synthèse, vous auriez pu aller... » puis il montra du doigt la coupe en verre contenant du diplomate aux myrtilles, comme pour dire : « encore plus loin ».

Le lendemain, Berthe retira de l'argent de son compte de caisse d'épargne et fit un premier versement sur le prix d'achat d'un manteau de vison (pastel, pleines peaux) qu'elle porta pour aller au bureau. C'était sa réponse. Marie admirait ce retour offensif plus que n'importe quel haut fait historique. Elle aurait voulu le faire admirer à Mimi aussi, mais elle était fatiguée après le voyage en avion, le choc du mariage de Raymond et le repas ingrat, décevant. A mi-chemin du récit, son anglais s'appauvrit.

« Qu'est-ce qu'elle raconte ? demanda Mimi. Que cet homme lui a donné un manteau ?

— Quel dommage que ça n'ait pas mieux marché pour tante Berthe ! regretta Raymond. Un veuf de niveau cadre. Enfin, pas vraiment un veuf, mais tout comme, objectivement. Tante Berthe est encore superbe. Tu as entendu ce qu'a dit Mimi.

— Berthe n'a pas besoin d'un veuf, répliqua Marie. Elle peut s'asseoir sur son balcon et regarder les veufs courir dans le parc Lafontaine tous les dimanches que Dieu fait. Il n'y a pas de place dans l'appartement pour un veuf. Tous les placards sont pleins. Dans celui de la chambre d'ami, il y a des choses qui t'appartiennent, Raymond. Ce beau ceinturon de rodéo blanc avec une boucle en argent que tante Berthe t'a donné pour tes quatorze ans. Elle lui a coûté trente dollars, des dollars de l'époque, quand le canadien valait plus que l'américain.

— Dix *cents* de plus, précisa Raymond.

— Dix *cents* d'une autre époque, rétorqua Marie. Comme quatre-vingts *cents* d'aujourd'hui.

— Tante Berthe n'a qu'à déménager, si elle est à l'étroit, suggéra Raymond. Ou bien, m'envoyer le ceinturon par la poste. »

Il s'adressa à Mimi : « A Montréal, les gens déménagent plus souvent que n'importe où au monde. Je peux te montrer les chiffres. Mon père n'était pas montréalais, alors nous, nous avons toujours vécu dans la même maison. *Maman* l'a vendue quand il est mort.

— Ça me plairait bien de voir cette maison, dit Mimi, comme si elle mettait Marie au défi de la présenter.

— Pourquoi Berthe déménagerait-elle ? demanda Marie. D'abord tu veux qu'elle se mette la corde au cou avec un étranger, ensuite tu veux la virer de son domicile. Elle a un appartement avec trois chambres pour un loyer qui te laisserait baba. Elle serait folle de le lâcher. C'est plus facile de trouver un millionnaire propre que le genre de logement qu'a ma sœur.

— Les gens ne se marient pas pour avoir trois chambres, objecta Mimi, qui tenait toujours la photo de Berthe. Ils se marient pour l'amour et la compagnie.

— Moi, je suis une compagnie, répliqua Marie. J'aime ma sœur et ma sœur m'aime.

— Croyez-vous que j'ai épousé Raymond pour avoir de la place ? » demanda Mimi.

Raymond dit quelque chose en anglais. Marie n'en comprit pas le sens, mais eut l'impression que c'était dégoûtant.

« Raymond, dit-elle, fais des excuses à ta femme.

— Ne lui parlez pas, conseilla Mimi. Vous ne faites que l'énerver.

— Je te défends de renverser ta chaise, dit Marie. Raymond, si tu passes cette porte, je ne serai plus ici quand tu reviendras. »

Les deux femmes restèrent assises en silence après que la porte eut claqué. Ensuite, Mimi ramassa la chaise renversée. « Voilà le vrai Raymond, affirma-t-elle. Voilà Raymond, en public et dans l'intimité. Je ne rends la mère d'aucun homme responsable de ce qu'il devient.

— Il avait les cheveux couleur de blé, raconta Marie. Ils ont pris ce ton rouillé quand il a eu trois ans. Il avait l'air d'un ange. C'est la première fois que je le vois comme ça. Bien sûr, il n'a jamais été marié auparavant.

— Il doit être étendu sur son lit en train de bouder. Je n'y suis pas habituée. Moi non plus, je n'avais jamais été mariée. »

Elle se mit à rincer la vaisselle dans l'évier. La fenêtre en meurtrière donnait sur les voitures et la détresse des palmiers. Les larmes ruisselaient sur ses joues. Elle essaya de les éponger avec sa manche. « Je crois qu'il veut me quitter.

— Qu'est-ce que ça peut faire, s'il part vraiment ? dit Marie qui cherchait vainement un torchon propre. Un méchant garçon désobéissant. Il s'est enfui au Viêt-nam. Le dernier homme de la famille. Au lieu de vadrouiller, il aurait dû songer à faire des fils. Le père de Raymond s'appelait Louis. Le nom de mon père, c'était Odilon. Odilon-Louis, voilà un joli nom pour un garçon. Il convient à toutes les langues.

— Dans ma famille, on n'a que des filles.

— Une autre chose que Raymond a faite, c'est de voler la montre en or de son père. Ensuite, il l'a perdue. Il l'a prise et perdue.

— Raymond n'a pas perdu cette montre. Il l'a probablement vendue à deux ou trois personnes différentes. Raymond sera toujours Raymond. J'attends un enfant. Est-ce qu'il vous l'a dit ?

— Ce n'était pas la peine. Je l'ai deviné quand nous étions en voiture. Il ne faut plus pleurer. Ils entendent. Le bébé vous entend.

— Il en a déjà pas mal entendu de la part de Raymond. »

L'anglais de Marie s'effondra. « Écoutez, dit-elle laborieusement. Ce bébé a une grand-mère. Il a Berthe. Vous, vous avez Berthe. Ne pensez plus à Raymond.

— Il va avoir besoin d'une image paternelle. Pas seulement d'un tas de femmes.

— Raymond en a eu une. Ça ne l'a pas empêché de s'engager dans les Marines.

— Il ou elle. Je ne veux pas savoir. Je préfère la surprise. J'espère qu'il m'aimera. Qu'elle m'aimera. On dirait que c'est une fille.

— Ce serait bien de savoir d'avance. A cause des achats, pour savoir ce qu'il faut choisir. Vous voulez garder ce reste de crevettes ou les jeter ?

— Gardez-les. Raymond n'a presque rien mangé. Il aura faim plus tard.

— Ce méchant garçon. Ça m'est égal s'il ne mange jamais plus. Il va se rendre compte de l'effet que ça fait d'être seul au monde. Sans sa mère. Sans sa tante. Sans sa femme. Sans son bébé.

— Je ne veux pas qu'il soit seul, dit Mimi, laissant voir les traînées sur son visage, les bouclettes tristes collées à ses joues humides. Il n'est parti nulle part, en fait. Ce que j'ai dit, c'est que j'avais le sentiment qu'il y pensait. »

Marie essaya de se rappeler un peu de l'anglais qu'utilisait Berthe. Quand elle parlait à des collègues de bureau, elle disait, « Chaque chose en son temps », « Pas question qu'il le fasse», «Comptez sur moi», «Ne vous en faites pas».

«Il ne va pas vous quitter, assura Marie. Pas question que je le permette. Comptez sur moi.» Elle frôla du coude la poignée du réfrigérateur et sentit une étincelle argentée à travers la manche en mousseline. C'était la première fois qu'une telle chose lui arrivait en Floride; elle y vit un message d'approbation de Berthe. Mimi s'essuya les mains sur une serviette en papier et se tourna vers Marie.

«Attention, prévint celle-ci, en prenant dans ses bras l'épouse et le bébé. Attention que le bébé ne reçoive pas de décharge. Tout ce qui se trouve ici est électrique. Moi, je suis électrique. Il faudra que nous prenions garde dorénavant de nous assurer que nous sommes mis à la terre.»

Elle avait dérivé vers le français, mais cela n'avait pas d'importance. Le bébé entendait et savait ce qu'elle voulait dire.

Dédé

Pascal Brouet vient d'avoir quatorze ans. Autrefois, il allait au lycée, mais le jour où ses parents ont appris qu'il y avait des dealers dans la rue, devant l'entrée, ils l'ont mis dans un établissement privé. Ici, la situation n'est guère différente, mais il ne le dit pas, il ne veut pas qu'on le change d'école de nouveau, cette fois peut-être pour le mettre dans un pensionnat loin de Paris, sans rien de bon à manger et avec l'extinction des feux à dix heures du soir.

Il ne se décrirait pas comme retors ni dissimulé. Il essaie de ne pas attirer l'attention sur la clause de responsabilité dans le traité qui maintient la paix entre les générations. Comme son père, le magistrat, il fera une proposition de neutralité avant d'exprimer une différence d'opinion. «Je suis prêt à reconnaître», se lance-t-il, ou bien : «Je n'ai pas l'intention de monopoliser la conversation...» Il arrive que la phrase n'aboutisse pas. Comme son père, il laisse tomber ses paupières et tente de parler avec désinvolture, lentement. Le magistrat est connu pour sa façon de s'effacer progressivement d'une discussion. A une certaine époque, on disait qu'il était le plus jeune magistrat à s'endormir à l'audience : il décrochait quand il pensait qu'on n'avait pas besoin de lui et se ranimait au moment précis où le procès prenait un nouveau tour. Il n'en ratait jamais un seul, apparemment. Il a décrit à Pascal le fonctionnement de son esprit : celui-ci ressemble à une voiture dont le moteur tourne avec une régularité exceptionnelle, sous le contrôle d'un conducteur invisible. Le conducteur, c'est la volonté subconsciente du magistrat.

Pour Pascal, un esprit est une porte, entrouverte ou fermée. Ses notes sont bonnes, sans être brillantes. Il possède un don naturel : une mémoire précise, parfaitement ciselée. Comment l'utilisera-t-il ? Il pense pouvoir, avec une égale facilité, devenir acteur ou avocat. Quand il le dit à ses parents, ceux-ci semblent ne pas faire d'objection. Il pourrait être acteur-directeur, avec un théâtre privé qui lui appartienne, ou bien diriger un des grands théâtres nationaux, commander des œuvres nouvelles, dépoussiérer les classiques, en tranchant d'un mot ou deux les questions litigieuses.

Les Brouet sont des parents tolérants, prêts à tout. Ils se sont connus en mai 1968, à quelques mètres d'une barricade où brûlaient des voitures. Elle, elle avait un pavé à la main ; quand elle avait vu qu'il la regardait, elle l'avait posé. Ils avaient remonté le boulevard Saint-Michel ensemble, et il lui avait expliqué son projet de réforme judiciaire. Il était âgé de vingt-six ans environ, un peu plus qu'elle. En réponse à sa question, elle avait répondu qu'elle était originaire d'Alsace. Il lui avait rappelé que Paul Éluard avait fait la connaissance de sa future femme dans la rue, un soir de pluie. Elle aussi était originaire d'Alsace ; affamée, elle faisait semblant de faire le trottoir, de façon désespérée, confuse, maladroite.

Enfin, cette histoire-ci n'est pas tout à fait la même. En 1968, la future Mme Brouet faisait des études de graphologie, avec la perspective d'être employée — lui avait-on promis — au service du personnel d'un grand magasin. En attendant, elle était hébergée par un pasteur de l'Église réformée et sa famille, rue Fustel-de-Coulanges. Elle rentrait dîner chez elle quand elle s'était arrêtée pour ramasser le pavé. Elle avait une mère en Alsace, et un petit frère, Amédée, « Dédé ».

« Sylvie et moi, nous avons connu les deux côtés des barricades », se plaît à raconter le magistrat aujourd'hui. Ce qu'il veut dire, c'est qu'on ne peut pas les enfermer dans une catégorie politique. Le pavé dans la main a fait d'elle une rebelle, dans ses souvenirs à lui, tout au moins. Elle, elle n'ouvre jamais un journal, à cause de sa réputation qui veut qu'elle s'oppose à tout. C'est ce qu'il dit, mais ce n'est peut-être pas exact : elle regarde les pages culturelles, pour voir ce qu'on expose dans les galeries.

Lui lit trois journaux du matin au petit déjeuner et, s'il en a le temps, *le Monde* de la veille au soir. En lisant, ses yeux se plissent. Il donne parfois l'impression que toutes ses idées et ses convictions ont été traduites dans une langue étrangère, puis retraduites en français.

Un jour, quand Pascal avait neuf ans environ, son père lui demanda : « As-tu une idée de ce que tu feras plus tard ? »

Ils prenaient le petit déjeuner. L'oncle Amédée de Pascal se trouvait là. Comme tout le monde, Pascal l'appelait Dédé. Pascal regarda dans sa direction et dit : « Je veux être célibataire, comme Dédé.

— Oh, non ! » gémit sa mère en s'enfouissant le visage dans les mains. Le magistrat attendit qu'elle se soit remise avant d'intervenir. Elle leva les yeux en souriant, un peu confuse. Puis il expliqua, lentement, minutieusement, que Dédé n'avait pas l'âge d'être catalogué comme célibataire. C'était un étudiant, un jeune homme. « Un étudiant, un étudiant », répétait-il, pensant qu'à force de le dire, peut-être que Dédé se mettrait à l'étude énergiquement.

Dédé avait un nez camus qui avait l'air ridicule sur quelqu'un d'aussi grand, et une abondance de cheveux blonds bouclés. A cause de ses cheveux, le magistrat n'arrivait pas à le prendre au sérieux : en privé, il l'appelait « Harpo ».

Cette période de la vie de Pascal, la transition entre neuf et dix ans, se situait à l'automne précédant une échéance électorale importante, l'année suivante : les élections auraient lieu cinq mois plus tard, mais il y avait déjà des discussions pendant les dîners et les déjeuners du dimanche. Un dimanche, justement, au mois d'octobre, des guêpes s'attaquèrent à la table, attirées par l'odeur d'un melon, le dernier de la saison, particulièrement parfumé et sucré. La porte-fenêtre donnant accès au jardin était ouverte. Le soleil pénétrait, traversait les carafes de vin et se fondait, rouge et or, dans la surface cirée de la table. De sa place, Pascal voyait le jardin clos de murs, les immeubles qui se trouvaient derrière, un peuplier doré et les fauteuils d'osier où les invités s'étaient assis auparavant pour prendre l'apéritif.

Il y avait deux couples invités, les Turbin, plus âgés que les parents de Pascal, et les Chevallier-Crochet, mariés depuis peu. Mme Chevallier-Crochet suivait un cours d'histoire de l'art avec la mère de Pascal, le jeudi après-midi.

Ils ne connaissaient pas la maison et furent étonnés de découvrir un jardin caché en plein Paris, avec des fauteuils, du gazon, un rateau, un arbre. Comme l'expression de leur stupéfaction commençait à s'étioler et que des intervalles de silence faisaient leur apparition, Abelarda, récemment arrivée de Cadix, se mit sur le pas de la porte et les appela à venir déjeuner. Elle dit : « C'est prêt », bien que ce ne fût pas ce que Mme Brouet lui avait demandé de dire, enfin, pas de cette manière. Les invités se levèrent, sans hâte. Ils avaient probablement aussi faim que Pascal, mais ils ne voulaient pas que cela se voie.

Quelques minutes après, alors qu'ils commençaient juste à manger leur melon, les guêpes vinrent heurter la table avec un bruit sourd, comme un jet de cailloux. Les adultes se raidirent, comme si quelqu'un avait sorti un revolver. Pascal savait qu'en restant immobile, on avait de bonnes chances de se faire piquer. En agitant sa serviette de table, en criant des ordres, les guêpes s'envoleraient peut-être. Mais il n'était pas censé donner des instructions : il était là, au milieu des grandes personnes, pour apprendre comment se construit une conversation, comment provoquer l'intérêt sans être présomptueux, amuser sans prendre de libertés. A cet instant, Dédé eut un accès de courage : il prit le plat de melon grouillant de guêpes et le porta dehors, jusqu'au pied de l'arbre. A son retour, il fut applaudi, par sa sœur tout au moins, qui battit des mains, et par Mme Chevallier-Crochet, qui cria : « Bravo ! Bravo ! »

Dédé sourit, mais il est vrai qu'il souriait toujours. Sa sœur s'en désolait : ce sourire donnait une raison de plus au magistrat pour l'appeler Harpo. Lorsqu'il s'asseyait, il avait l'air d'enlacer sa chaise. Il était trop grand pour jamais être à l'aise. Il avait besoin de chaises plus vastes, de tables qui soient à la fois plus hautes et plus larges pour éviter de heurter ses genoux et de poser les pieds sur ceux de la dame assise en face.

« Ainsi, le melon, c'est fini », dit simplement le père de Pascal. C'était un mets pour lequel il avait un goût particulier, et celui-là était peut-être le dernier de la saison. Si Dédé lui avait demandé son avis au lieu de bondir si impulsivement, il aurait pu répondre : « Laisse-le, va » et couru le risque de se faire piquer.

Eh bien, voilà : le melon, c'était fini pour tout le monde. Les invités s'étaient un peu redressés, en attendant la suite : du bœuf, du veau, de l'agneau ou, qui sait, du canard. Sa mère pria Pascal de fermer la porte-fenêtre. Elle ne s'attendait pas à une nouvelle invasion de guêpes, mais il pouvait y en avoir d'égarées. Mme Chevallier-Crochet exprima l'opinion que Pascal était grand pour son âge, puis s'enquit de l'âge qu'il avait. « Presque dix ans, répondit Mme Brouet en regardant son fils avec un certain étonnement. J'ai peine à le croire. Je ne comprends rien au temps. »

Mme Turbin expliqua qu'elle n'avait pas besoin de regarder sa montre pour savoir l'heure exacte. A présent, il devait être treize heures quarante-cinq. Si c'était le cas, sa fille Brigitte venait d'atterrir à Salonique. Chaque fois que sa fille montait à bord d'un avion, Mme Turbin l'accompagnait mentalement, minute par minute.

« Thessalonique », précisa M. Turbin.

Les Chevallier-Crochet avaient passé leur lune de miel en Sicile. Si c'était à refaire, affirmèrent-ils, ce serait en Grèce qu'ils iraient.

Mme Brouet dit qu'ils verraient une grande différence avec la Sicile. Elle avait l'esprit absorbé par tout autre chose, à savoir, Abelarda. Celle-ci avait dû s'attendre à ce qu'ils s'attardent en se resservant de melon. Elle était peut-être assise à la cuisine, en train d'écouter de la musique espagnole à la radio. Mme Brouet saisit un coup d'œil vif de son mari, l'interpréta correctement et partit enquêter.

Un des hommes s'adressa à M. Brouet, afin qu'il l'éclaire sur les candidats aux élections, car des bruits regrettables circulaient. Le père de Pascal était une source d'informations souvent sollicitée. Il avait des relations à Paris, comme de solides cordes attachées aux hautes sphères de la fonction publique et de la politique. Une de ses sœurs était mariée au chef de cabinet d'un ministre. On emmenait leurs enfants à l'école dans une voiture nantie d'une cocarde tricolore. Le chauffeur avait le droit de la garer n'importe où. Le grand-père du magistrat avait débuté comme lieutenant dans la cavalerie ; il était mort d'une crise cardiaque le jour où il avait été nommé à la tête d'une commission de surveillance des cimetières militaires. Un portrait de lui, enfant, était accroché dans la salle à manger. On racontait que l'artiste avait copié une photographie, ce pourquoi le poney avait l'air si raide et les couleurs étaient douteuses. La chambre où dormait Pascal avait été celle de cet enfant-là, l'été : autrefois, cette demeure s'était trouvée dans les faubourgs, presque à la campagne. Maintenant, la route qui passait devant ressemblait à une nationale : même portes fermées, on entendait le flot de la circulation dominicale traverser un carrefour en direction de Boulogne et du pont de Saint-Cloud.

Le magistrat répondit qu'il ne voulait pas monopoliser la conversation, mais qu'il croyait ne pas se tromper en disant que plusieurs personnages dont il n'avait que faire étaient en train de s'affronter. Il lui arrivait d'avoir envie de se laver les mains de l'avenir (ce disant, il joignit lesdites mains). Toutefois, avant que ses invités aient pu se montrer choqués ou déçus, il poursuivit : « Mais on ne peut rester indifférent. Ce pays est vieux, sa civilisation ancienne. » Là, ses paroles devinrent entrecoupées. « Nous devons... Il faut qu'on... Une certaine loyauté sans faille... » et il posa les mains sur la table, calmement, de part et d'autre de son assiette.

A cet instant, Mme Brouet revint, les joues et le front roses, comme si elle s'était trop approchée d'un four chaud. Abelarda la suivait, pour changer les assiettes. Elle aussi avait la figure rose.

Pascal s'imagina les candidats alignés comme des joueurs de rugby, seul sport qu'il eût le droit de regarder à la télévision. Ses parents n'aimaient pas le football : les joueurs frimaient, touchaient des sommes aberrantes simplement pour taper dans un ballon, et leurs shorts étaient bizarrement coupés. « Avec tout cet argent, ils pourraient s'acheter des vêtements à leur taille », avait protesté la mère de Pascal. Les joueurs de rugby étaient différents. Ils incarnaient l'action et son aboutissement, sous une forme idéale. Ils se couvraient de boue par amour du sport. La France avait gagné le tournoi des Cinq Nations en battant même les Gallois redoutés, dont les supporters faisaient toujours entendre des plaintes si inquiétantes dans les tribunes. En fait, ils essayaient de chanter. C'est sans doute ainsi que les premiers Celtes chantaient en chœur avant la conquête romaine, avait dit le magistrat à Pascal.

Personne à la table n'aurait pu faire partie d'une équipe de rugby. Ils étaient trop maigres. Dédé ressemblait à un manche à balai. Bien sûr, Pascal jouait au football à l'école, dans une petite cour cimentée. Les plus petits, âgés de six, sept ans, essayaient d'imiter Michel Platini, mais ils avaient tout faux. Ils lançaient le ballon très haut et donnaient des coups de pied dans le vide, la jambe passant devant la poitrine, les bras étendus.

Le magistrat ne quittait pas des yeux le plat qu'Abelarda faisait passer à présent : des perdrix sur un nid de chou émincé, une surprise totale. Pascal tourna les yeux vers Dédé qui riait aux anges. (Si Pascal avait continué à suivre le regard de son père, on risquait de lui dire plus tard, doucement, qu'il ne faut pas fixer la nourriture.)

M. Brouet n'alimenta plus la conversation, pour le moment. En se servant de perdrix, les invités se racontaient des histoires que tout le monde connaissait. La santé et la moralité de tous les candidats étaient sur le déclin. L'un d'eux avait besoin de piqûres de poudre d'algues japonaises, faute de quoi il perdait connaissance, parfois au milieu d'une phrase. D'autres se maintenaient grâce à un mélange de cocaïne et de vitamine C. Leur fortune personnelle avait été acquise en investissant dans des bars « gay » et du matériel de guerre, et en expulsant les pauvres. Seul le ministère de l'Intérieur connaissait la nature et l'étendue de leurs opérations financières clandestines. Pourtant, il fallait bien estimer que certains de ces hommes étaient meilleurs que d'autres pour que la démocratie n'en arrive pas au point mort. Comme M. Brouet l'avait indiqué, on ne peut pas se laver les mains de l'avenir.

La respiration du magistrat était devenue régulière et profonde ; peut-être était-ce le soleil, en frappant les vitres, qui le rendait somnolent.

« Étienne n'est jamais tout à fait éveillé ni endormi », dit sa femme, avec l'intention de faire un compliment.

Elle était fière de tous ses parents, même par alliance, et s'enorgueillissait de son père, qui avait quitté son foyer et sa famille pour aller vivre en Nouvelle-Calédonie. Il avait fait preuve de caractère et d'esprit d'initiative, comme Dédé avec les guêpes. (Maintenant que Pascal a quatorze ans, cette histoire lui est familière.) Mais la fierté, ce n'est pas la même chose qu'un amour désarmé. La personne qu'elle aimait le mieux, en ce sens, c'était Dédé.

Dédé était venu vivre chez les Brouet parce que sa mère, la grand-mère de Pascal, n'en venait plus à bout. Il n'était jamais bruyant ni brusque, mais il avait besoin d'être tenu en main, bien qu'il eût le droit de vote et l'âge de faire certaines des choses qu'il faisait, comme de signer un chèque du nom de sa mère (une seule fois, convenons-en).

C'était son deuxième séjour ; le premier, au printemps dernier, n'avait pas affermi son caractère, malgré la conversation de son beau-frère, la tendre inquiétude de sa sœur, le sentiment d'être utile, acquis en accompagnant son jeune neveu à l'école. De retour chez lui à Colmar (poignée de main vigoureuse du magistrat à la gare de l'Est, larmes et chocolats de sa sœur, cadeau d'un dessin original de Pascal), il avait accidentellement mis le feu à la cuisine de sa mère, puis à sa propre literie. Des accidents, avaient fini par admettre les assureurs, non sans manifester un certain déplaisir. Au moment présent, on traitait sa mère pour épuisement, avec une infirmière à domicile qu'elle couvrait de cadeaux coûteux. Elle avait à peu près autant le sens de l'argent qu'Harpo, affirmait le magistrat. (Sans lever la tête de ses devoirs, Pascal pouvait suivre tout ce qui se disait dans l'entrée, l'escalier et deux pièces contiguës.)

Quand ils étaient réunis tous les quatre à la table du petit déjeuner, Mme Brouet répétait le nom de son frère toutes les deux phrases : Dédé voulait-il encore du pain grillé, quelqu'un pourrait-il lui passer la confiture de fraises, avait-il suffisamment de couvertures sur son lit, lui fallait-il une autre clé (il les perdait fréquemment). Le magistrat se plongeait dans ses trois journaux du matin. Il ne souhaitait rien faire passer à Harpo. En vérité, Mme Brouet monologuait.

Cet automne-là, Dédé suivait un cours par correspondance pour préparer un concours d'entrée dans la fonction publique. S'il figurait parmi les douze premiers, provoquant peut-être l'élimination de centaines de jeunes gens, il aurait vocation à un poste à la S.N.C.F. Ce serait un emploi de bureau, bien sûr : personne ne s'attendait à ce qu'il fût dehors par tous les temps, longeant les voies, à la recherche de quelque chose à réparer. De grands artistes, des leaders honorés, réputés, avaient débuté dans la vie derrière un guichet des chemins de fer. Chaque fois que la mère de Pascal communiquait cette information, elle était obligée de s'interrompre, comme si elle cherchait leurs noms dans ses souvenirs. Le chemin de fer avait toujours été une pépinière de carrières exceptionnelle, reprenait-elle. Ensuite, elle faisait remarquer à Dédé que leur père avait été conducteur de travaux publics.

Après le petit déjeuner, Dédé enroulait une longue écharpe autour de son cou et emmenait Pascal à l'école. Il avait inventé un appartement avec des murs amovibles. Tout ce dont on avait besoin se mettait à portée en tirant quelques leviers ou en appuyant sur un bouton : on pouvait passer sa vie au milieu de la pièce sans avoir à bouger. Lui et Pascal affinaient l'invention : c'était leur sujet de conversation, en allant à l'école. Ensuite, Dédé rentrait à la maison et étudiait jusqu'à l'heure du déjeuner. L'après-midi, il dessinait des croquis qui développaient son projet. Peut-être qu'il se sentait seul. Le médecin qui soignait sa mère lui avait demandé de ne pas téléphoner ni écrire, pour le moment.

La mère de Pascal pensait que Dédé avait besoin d'une petite amie, même s'il n'était pas prêt à se marier. Pascal l'entendit énoncer : « L'art et la science, l'architecture, la culture. » Tels étaient les facteurs susceptibles de changer la vie de Dédé et auxquels il accèderait par l'entremise de la femme adéquate. Mme Brouet avait quelqu'un en tête : Mlle Turbin, qui occupait un poste d'une certaine responsabilité dans une agence de voyages. On l'envoyait souvent à l'étranger, au secours de voyageurs en difficulté, ou pour enquêter sur leurs réclamations. Ce déjeuner avait été prévu en son honneur, mais à la dernière minute, elle avait été convoquée en Grèce où un touriste, mordu par un chien, à qui on avait fait une piqûre anti-rabique, était persuadé que les Grecs cherchaient à le tuer.

Les parents de la jeune fille étaient venus, malgré tout, ne voulant pas renoncer au privilège de rencontrer le magistrat et de visiter une maison ancienne exceptionnelle, une des dernières de son espèce qui soit encore entre les mains de particuliers. Avant le déjeuner, Mme Turbin exprima le désir d'en faire le tour. C'est Mme Brouet qui guida les dames, évitant soigneusement d'ouvrir la porte de la chambre de Dédé : la corbeille à papier y avait brûlé quelques heures auparavant et tout était carbonisé, roussi ou trempé.

Pendant le déjeuner, s'écartant de la politique, M. Turbin décrivit le traitement qu'en toute probabilité on avait appliqué à ce touriste à Salonique : c'était le même dans le monde entier et il impliquait l'utilisation d'une longue aiguille. Il tendit son couteau pour montrer la longueur approximative.

« Arrêtez ! » cria Mme Chevallier-Crochet. Elle mit sa serviette de table devant son nez et sa bouche : on ne voyait plus que ses yeux égarés. Tout le monde s'arrêta de manger, fourchettes en suspens, à l'exception du magistrat qui était en train de repousser le chou pour atteindre le reste de perdrix.

M. Chevallier-Crochet expliqua que sa femme avait peur des aiguilles. Il ne pouvait en fournir aucune explication, ne l'ayant pas connue enfant. Cette peur, apparemment singulière, la mettait à part.

Pendant qu'il parlait, sa femme ferma les yeux, puis les rouvrit, un peu moins grands ; elle étendit soigneusement sa serviette sur ses genoux et avala un morceau de pain.

M. Turbin fit des excuses. Il avait supposé que tout

compatriote du grand Louis Pasteur aurait vu une ou deux aiguilles. Elles n'étaient que les moyens d'une fin.

Mme Brouet lança un coup d'œil à son mari, un appel au secours, mais il venait juste de prendre une bouchée de nourriture. Il était toujours le dernier servi quand il y avait des invités, et tout était froid quand son tour arrivait, ce qui explique probablement pourquoi il mangeait avec une telle hâte. Il haussa les épaules, comme pour suggérer : « change de sujet ».

Ayant enfin trouvé quelque chose à dire, elle se tourna vers Pascal : « Tu te souviens de Mlle Turbin ? Charlotte Turbin ?

— Brigitte ? demanda Pascal.

— Je suis sûre que tu t'en souviens, reprit-elle, sans écouter. A l'agence de voyages, rue Caumartin ?

— C'est elle qui m'a donné l'affiche de corrida, précisa Pascal, en se demandant comment elle avait pu l'oublier.

— Nous sommes allés la voir, toi et moi, l'année où nous voulions aller en Égypte. T'en souviens-tu maintenant ?

— Nous ne sommes jamais allés en Égypte.

— Non, papa ne pouvait pas s'absenter à ce moment-là, si bien que nous avons fini par retourner à Deauville, où papa a tant de cousins. Alors, tu te rappelles bien Mlle Turbin, qui a de si jolis cheveux auburn.

— Châtain, s'exclamèrent en chœur les deux Turbin.

— Ma sœur, interrompit brusquement Dédé, en la montrant de la main gauche, la droite tenant un verre de vin. Avant de se marier, m'a raconté ma mère... »

L'histoire, quelle qu'elle fût, déclencha le fou rire chez lui. « Un chien a essayé de la mordre, réussit-il à dire.

— Tu nous raconteras ça une autre fois, » suggéra sa sœur.

Il continua de rire doucement, à part lui, tandis qu'Abelarda changeait les assiettes derechef.

Le magistrat examina sa nouvelle assiette propre : pas de surprises dans l'immédiat; salade, une autre assiette, fromage, une assiette à dessert. Sa femme avait renoncé à Mlle Turbin : c'était vraiment à lui, maintenant, affirmait son silence.

« J'ai peut-être déjà fait cette observation, déclara-t-il. Je ne veux pas rabâcher éternellement les mêmes propos, mais j'aimerais savoir si vous êtes d'accord que le pivot de la politique française actuelle ne se trouve plus en France ?

— Le Proche-Orient, avança M. Turbin, hochant la tête.

— Washington, proposa M. Chevallier-Crochet. Washington, qui appelle Paris tous les matins et dit : faites-ci, faites-ça.

— Le Proche-Orient et l'Union soviétique, reprit M. Turbin.

— Voilà, conclut M. Brouet, nous sommes tous d'accord. »

Nombre des parents et amis du magistrat pensaient qu'il devrait être plus proche du gouvernement, du pouvoir. Mais sa femme voulait qu'il conserve son poste actuel pour avoir droit à la retraite. Celle-ci une fois acquise, ils feraient un voyage au Tibet, dans le nord de la Chine, et au Cachemire en hiver.

« Vous savez, ce matin, commença Dédé, qui voulait en finir avec quelque chose qui le tracassait.

— Une autre fois, intervint sa sœur. Ne parlons pas de ce matin. On a tout oublié. C'est Étienne qui parle maintenant. »

Ce matin! Les invités n'avaient pas idée, étaient incapables d'avoir le commencement d'une idée de ce qui s'était passé ici, dans cette salle à manger, à cette table même. « J'ai mon diplôme », avait annoncé Dédé, exultant. Le cours par correspondance que suivait Dédé ne pouvant conduire à aucun diplôme, ce devait être sa façon d'essayer d'interrompre ses études pour pouvoir rentrer chez lui.

« Diplôme ? » Le magistrat avait méticuleusement plié *le Monde* de la veille avant de le poser. « Qu'est-ce que ça veut dire, diplôme ? »

La mère de Pascal s'était levée pour refaire du café. « Je suis heureuse de l'apprendre, Dédé, avait-elle dit.

— Un diplôme de quoi ? » avait demandé le magistrat.

Dédé avait haussé les épaules comme si personne n'avait pris la peine de le renseigner. « J'ai été prévenu l'autre jour, avait-il expliqué. J'ai mon diplôme, et maintenant je peux retourner à la maison.

— Peux-tu nous montrer quelque chose ?

— C'était seulement une lettre, et je l'ai perdue, avait répondu Dédé. Un diplôme authentique coûte deux mille francs et je ne sais pas où je trouverais l'argent. »

Le magistrat n'avait pas donné l'impression de douter, cela en raison de sa formation, mais il avait demandé : « Il y a environ un mois que tu as commencé à suivre le cours ?

— Il y avait longtemps que j'y pensais.

— Alors, maintenant, ils t'ont décerné un diplôme. Tu as parfaitement raison. Tu peux prendre le train ce soir. Je vais prévenir ta mère. »

Mme Brouet était revenue en portant une grande cafetière blanche. « Je me demande où tu seras affecté en premier », avait-elle dit.

Pourquoi étaient-ils tellement en retrait, elle et son frère ? Peut-être à cause de leur mère, la grand-mère à Colmar. Un jour, elle avait pris Pascal par le menton pour l'obliger à regarder bien en face. C'est ce qu'elle avait fait à ses enfants. Pascal sait à présent qu'on ne peut pas avoir le menton serré dans un étau et affronter de tout son être un regard bleu et fixe. Quelque part au fond de sa conscience se tapit un second soi-même aux yeux bien fermés.

Il semblait que Dédé et sa sœur fussent capables de faire face à n'importe quel regard, même celui du magistrat quand il était le plus éveillé. Ils avaient l'air d'écouter, mais la personne à laquelle il croyait s'adresser, dont il essayait de toucher le cœur, était sourde et aveugle. La mère de Pascal écoute quand elle a besoin de connaître la suite des événements.

Pour le moment, tout ce qu'avait compris Pascal, c'est qu'en prétendant avoir obtenu un diplôme, Dédé exprimait un souhait qu'il aurait voulu déjà réalisé.

« Nous n'allons probablement jamais te voir, une fois que tu auras commencé à travailler », avait dit Mme Brouet en versant le café de Dédé.

L'expression du magistrat laissait supposer qu'on ne pouvait s'attendre à une chance pareille. Abelarda, qui était montée faire les lits, avait hurlé du haut de l'escalier que la chambre de Dédé était pleine de fumée.

Abelarda se déplaça lentement autour de la table, portant une tarte aux prunes, violette et or, à la surface caramélisée, et une jatte de crème fraîche. Mme Turbin jeta un coup d'œil sur la tarte et fit non de la tête. M. Turbin n'avait pas droit au sucre maintenant et elle, elle avait perdu l'habitude des desserts. Il lui semblait injuste de le tenter.

C'était vrai, confirma son mari. Elle avait même cessé de préparer des entremets sucrés à cause de lui. Il entreprit de décrire ses chefs-d'œuvre, sa célèbre mousse au chocolat parfumée à l'écorce d'orange amère confite, son flan à l'ananas renommé.

« Mon gâteau de semoule en couronne avec son coulis d'abricot, renchérit-elle. J'ai dû en donner la recette cent fois. »

Mme Chevallier-Crochet demanda si on pouvait lui couper la moitié de la tranche qu'Abelarda avait préparée. Celle-ci posa la jatte de crème et partagea la tranche en deux. Cette demi-tranche était encore trop grande ; Abelarda objecta qu'il était impossible de la recouper sans qu'elle se brise en un gâchis de miettes. « Je t'en prie, prends-la et laisse ce que tu ne peux pas manger », conseilla M. Chevallier-Crochet à sa femme. Elle répondit qu'on trouvait à redire à tout ce qu'elle disait et faisait, que le mieux serait qu'elle se tienne tranquille et ne dise ni ne fasse rien. Abelarda, en lui gazouillant des encouragements, déposa sur son assiette un fragment de tarte avec une seule prune.

« Pas de crème », refusa-t-elle, trop tard.

Mme Brouet porta le regard sur le portrait du grand-père de son mari, puis sur son fils, peut-être en quête d'une ressemblance. Sophie Chevallier-Crochet avait semblé vive et intelligente au cours d'histoire de l'art. Mme Brouet n'avait jamais rencontré le mari auparavant, et il y avait peu de chances qu'elle le revît jamais. Elle accepta d'être servie abondamment en tarte et en crème fraîche, pour donner l'exemple, au cas où les deux autres dames auraient inhibé les hommes.

M. Turbin, après s'être fait assurer qu'on n'avait pas ajouté de sucre à la crème, s'en servit plus que de tarte. Sa femme, qui le surveillait, buvait de l'eau devant son assiette vide : « Il n'y a que des fruits », assura-t-il.

Le magistrat prit toutes les miettes, ainsi que les fragments de caramel qui restaient sur le plat. Il fit tinter la cuillère en raclant l'intérieur de la jatte de crème : il n'en restait presque pas. C'était la faute de M. Chevallier-Crochet qui avait continué à remplir son assiette, comme en rêve, jusqu'à ce qu'Abelarda retire la jatte.

Les invités finirent de prendre le café à quatre heures et demie et s'en allèrent à cinq heures moins le quart. Une fois qu'ils furent partis, Mme Brouet s'étendit, pas sur un divan ni un canapé, mais par terre, dans le séjour. Elle fixa le plafond et dit à Pascal de la laisser seule. Abelarda, Dédé et le magistrat étaient en haut, dans la chambre de Dédé. Abelarda l'aida à faire ses bagages. Tard ce soir-là, le magistrat le conduisit à la gare de l'Est.

Dédé est revenu à Paris il y a environ un an. On dit qu'il a changé. Il travaille à temps partiel pour un institut de sondage télévisuel : tous les jours, on lui donne une liste de numéros de téléphone dans la région parisienne ; il les appelle pour savoir quelle émission ils ont regardée la veille et quelle émission ils regrettent de ne pas avoir regardée. Sa mère lui a acheté un studio qui donne sur le parc Montsouris. Les Brouet n'ont jamais essayé de le contacter. Le Paris de Dédé — inconnu, pour ainsi dire étranger — se trouve à une distance non identifiée de la maison de Pascal.

Un soir, il y a peu de temps, ils étaient tous les trois en train de dîner quand Pascal dit : « Et si Dédé venait à la porte ? » Il voulait dire la porte d'entrée, bien sûr, mais ses parents regardèrent la porte vitrée et le reflet des lampes sur le verre sombre qui dissimulait la nuit. Pascal imaginait Dédé se tenant dehors, les observant en souriant, avec sa grande tignasse.

Il est presque aussi grand que Dédé à présent. Peut-être que son père ne s'était pas vraiment rendu compte de sa taille — c'est arrivé si vite — mais quand Pascal s'est levé pour tirer un rideau devant la porte-fenêtre ce soir-là pendant le dîner, son père l'a regardé comme si tout à coup, il estimait la valeur du genre d'homme qu'il pourrait devenir. C'était un regard calme, ni chaleureux ni froid. L'espace d'un instant, Pascal se dit, jamais plus il ne s'endormira. Quant à sa mère, elle restait assise, à sourire et rêver, nourrissant encore l'espoir de trouver une raison pour aimer Dédé de nouveau.

Le Royaume des Cieux

Au bout de vingt-quatre ans passés dans la république de Saltnatek, où il avait fondé la première université moderne, relevé le vocabulaire et la structure de la langue saltnatek et découvert dans un village reculé une langue allophyle, connue seulement de ceux qui la parlaient, le Dr Dominic Missierna revint en Europe, où il se rendit compte que personne ne s'intéressait à son travail. Saltnatek n'était ni luxuriant, ni riche, ni séduisant et pas même assez pauvre pour éveiller la pitié internationale. L'université survivait grâce à des subventions, financées par le reliquat du budget de la défense, et même Missierna fut obligé de reconnaître qu'il n'avait pas attiré des enseignants de premier ordre. Il avait gaspillé son énergie à courir après les fonds pour payer les salaires et l'équipement, jusqu'au jour où une administration ingrate l'avait révoqué et où le dernier en date des conseils de la révolution, sans un mot de remerciement, l'avait embarqué dans un avion.

Il pleurait encore les années passées à Saltnatek. Il était peiné d'entendre des collègues plus jeunes, dans un congrès de linguistique à Helsinki, confondre Saltnatek avec Malte ou Madagascar de la façon la plus désinvolte. C'était un archipel d'îles nues, dont l'une avait servi d'escale aux navires de croisière, au début du siècle. La plupart des touristes ne prenaient même pas la peine de descendre à terre : il n'y avait rien à voir, si ce n'est des rangées rectilignes de maisons dépourvues d'ornementation, et rien à acheter, si ce n'est les coquilles d'escargots de mer géants, sur lesquelles les artistes du pays avaient gravé en spirale : « Quand cet objet tu vois, Qu'il te parle de moi. » On pensait que cette devise avait été copiée du couvercle d'une tabatière, trouvée dans la poche d'un officier de marine mort noyé pendant les guerres napoléoniennes. (Pour Missierna, la tabatière devait porter bonheur, bien qu'en l'occurrence elle ne se fût pas révélée providentielle. Il ne fit part de son opinion à personne : il n'avait pas pour fonction de proposer des spéculations.)

Même ce commerce dérisoire avait été interrompu lorsque, après la Première Guerre mondiale, une société pour la protection des escargots de mer ayant fait campagne pour le boycottage des coquillages mutilés, survint une interdiction qui plongea Saltnatek dans le désarroi et la détresse économique.

A Helsinki, le cœur battant la chamade, d'une voix parfois tremblante, Missierna révéla l'existence d'une langue complexe et vivante, parlée par une population qui pratiquait les mariages consanguins et dont les enfants étaient fréquemment chapardeurs, rusés et d'une beauté inexpressive.

Il se tenait sur une estrade trop grande pour lui, à l'éclairage flou, dans une salle de conférences de la taille d'une salle de concert. Neuf hommes et trois femmes étaient dispersés dans les quinze premières rangées de sièges. Ils restèrent immobiles, sans réagir ; dès qu'il eut fini de lire son exposé, ils se levèrent avec le même calme et sortirent à la queue leu leu. Personne n'avait posé de question : il avait rapporté en Europe un système de plus, alors que personne ne savait comment faire fonctionner ceux que l'on connaissait déjà.

S'il était déçu, c'est en partie parce qu'il n'était plus jeune et qu'il était déjà presque trop tard pour que sa compétence, voire son génie, reçoivent les récompenses qu'ils méritaient. Quoique bien moins vaniteux qu'aucun des enseignants médiocres avec lesquels il s'était entretenu avant de leur attribuer un poste au Saltnatek, il espérait qu'une au moins de ses théories porterait son nom, pour que ses petits-enfants, lorsqu'ils le rencontreraient dans un manuel scolaire, puissent dire : « Voilà donc à quoi il ressemblait : modeste, inventif. » Mais la seule chose dite à ce congrès d'Helsinki, ce fut : « Vous n'avez rien démontré qui ne puisse l'être à partir du hongrois. »

Pendant les années où il avait été pris par son travail de façon obsédante, l'Europe s'était rapetissée, épuisée, aussi dénudée en esprit que les îles de sable et de pierres de Saltnatek. Les voix sceptiques étaient grêles et métalliques. Personne n'écoutait. Ses collègues disaient, « Il faut avancer pas à pas » et « Chaque chose en son temps ». Ils foulaient aux pieds les formules de politesse abandonnées, ratissaient le sol pour y chercher les lambeaux de sens et de raison. Ou le salut se trouvait dans la poussière, ou il n'était nulle part. Même s'il devait révéler vingt moyens nouveaux, méthodiques et poétiques de créer de l'ordre grâce aux mots, on lui dirait : « Nous ferions mieux de nous pencher sur ce qui se trouve sous nos pieds, devant notre porte. »

Il était divorcé, ce qui signifiait qu'il avait des enfants et des petits-enfants, mais pas d'endroit particulier où aller. Saltnatek lui avait tenu lieu d'enfant, mais il s'en était occupé plus longtemps que des autres, l'accompagnant jusqu'à la maturité, puis celui-là l'avait utilisé et rejeté, comme font les enfants, comme ils sont en droit de faire.

Ce n'était pas dans sa nature de lancer des ultimatums émotifs. Autrefois, il aurait pu avoir pour mission — il aurait dû se donner pour mission — d'étudier les modèles d'échanges entre ses véritables enfants, même si l'information, une fois présentée en tableaux, le laissait déprimé, effrayé. Il aurait pu les considérer comme une république indépendante et demander à y être admis. Encore maintenant, il méditait de s'inviter pour le Noël suivant. Il obtiendrait sûrement le visa de courte durée que personne n'ose refuser à un vieil homme sans abri, un parent éminent, qui n'était pas démuni mais demandait seulement qu'on lui montre de la considération, qu'on prenne en compte sa surdité, la raideur de son épaule, son besoin de se lever et prendre son petit déjeuner à cinq heures du matin, ses allergies au beurre et au vin blanc.

Que fallait-il emporter pour cette expédition à l'époque de Noël ? La première règle, lorsque l'on s'introduit dans des sociétés intègres, c'est : ne pas apporter de cadeaux. Sauf à se faire accuser de tentative de corruption ; mais alors, comme tout savant se défendant contre une critique, il pouvait justifier les cadeaux en se disant qu'un autre voyageur serait susceptible d'infecter la société de façon encore plus meurtrière, alors que lui, Missierna, était la discrétion même. Il n'avait pas représenté un poids pour ses enfants, les ayant à peine fréquentés. Un cadeau de parent à enfant ne peut que renforcer un lien naturel. Quand ils étaient jeunes, il rapportait à la maison une seule montre-bracelet qu'il leur faisait tirer au sort. En déplacement professionnel, il avait mis dans ses bagages des piles pour les radios : ses voyages lui avaient appris que les jeunes républiques en manquent vite. Il avait emporté des chaussures de ski partout où il y avait des montagnes neigeuses, sauf là où la neige était sacrée. Il avait toujours fait preuve de patience, d'une approche placide du temps alors qu'il se frayait un chemin à travers le maquis des visas de transit, des permis de séjour de six mois, des allocations de recherche de cinq ans. Pour entrer dans sa propre famille, en venait-il à croire, il fallait remplir des formulaires : tout ce qu'il lui faudrait comprendre, c'était l'orientation des questions.

De sa chambre d'hôtel à Helsinki, Missierna voyait la Baltique et les mouettes voler au ras des vagues moutonnantes. La nuit, des fantômes flottaient à l'horizon. Il ne mettait pas en doute que ce fussent des fantômes — ayant vécu au milieu de gens qui en voyaient beaucoup — et pas simplement les vapeurs blanches de l'été.

Une étude statistique effectuée par les assurances lui accordait encore six ans à vivre s'il ne changeait pas ses habitudes, huit s'il cessait de fumer, neuf et demi s'il adoptait un point de vue positif. Et la magie blanche ? Et s'il tentait d'ajouter quelques nuits d'été au moyen de poèmes et d'incantations ? Pourquoi ne pas implorer un saint, un saint si obscur que la ligne directe entre l'esprit de Missierna et le souvenir d'esprit du saint serait libre, sans l'encombrement de voix intruses. Il pouvait commencer en répétant son propre nom, avant de décider quelle conjuration devait suivre.

De toute évidence, ses petits-enfants vivaient de magie. Tous les matins, un jour absolument neuf se levait. Les vêtements qu'ils avaient laissés tomber par terre se retrouvaient propres et pliés. Un congressiste à cheveux gris, qui avait, affirmait-il, été l'étudiant de Missierna autrefois, lui avait dit que sous peu, légalement, on allait demander aux enfants de reconnaître leurs parents et non le contraire. Il y aurait des refus, supposa Missierna, inspirés par la froideur, d'autres par l'égoïsme, d'autres encore par l'embarras. Peut-être y aurait-il aussi de simples cas d'antipathie.

La plupart des enfants accepteraient probablement leurs parents, par pitié, ou pour conforter une lignée, ou pour avoir droit à un héritage, ou pour se conformer à un modèle astral. Dans certains cas, pour ne pas voir pleurer des grandes personnes. Quelques-uns manifesteraient peut-être cette confiance aveugle que les parents appellent tous de leurs vœux. Le sentiment nouveau d'insécurité, la terreur de se faire rejeter, amenaient déjà les adultes à adopter le conformisme extrême qui caractérise habituellement les très jeunes enfants. Sans doute est-ce la défiance à l'égard de la nouveauté et du changement qui expliquait l'auditoire clairsemé de Missierna, le silence dans la salle de conférences, l'absence de désir d'en savoir plus.

A Saltnatek, les derniers temps, il avait entendu des observations peu amènes qui disaient clairement qu'il n'avait rien d'un père, venant d'étudiants qu'il avait enseignés, élevés, formés et qui étaient prêts maintenant à l'envoyer promener : « Vous ne pouvez pas dire que nous ne vous avons pas prévenu. » « J'ai essayé de vous faire comprendre que vous le regretteriez un jour. » « Je regrette que vous le regrettiez. Mais c'est tout ce que je regrette. »

Ses propres enfants lui avaient également adressé des signaux d'avertissement qu'il avait pris pour de l'impertinence : « Es-tu obligé de raconter ta vie à la serveuse quand tu commandes un café ? » « D'autres pères ne se trompent pas d'autobus. » « S'il te plaît, ne va pas danser. Tu aurais l'air tellement ridicule. » Ils avaient le regard pur et clair, mais il était brouillé par la gêne et l'humiliation. Les yeux des enfants sont des yeux de petits-bourgeois, décida-t-il. Ce n'est pas de leur faute : ils sont nés en se demandant si leurs parents valent ce qu'en pense le conducteur de l'autobus.

Pendant vingt-quatre années, le regard de Saltnatek l'avait prisé, puis s'était détourné de lui. Il s'était senti devenir gros et encombrant, père sans autorité, dépossédé, qu'on laissait tituber dans un aéroport, comme s'il était malade ou ivre.

Il était encore capable de réciter par cœur les premières phrases du test qu'il avait utilisé pour sa recherche.

« Maintenant que vous en parlez, je vois ce que vous voulez dire. »

« Aucune loi ne l'interdit, n'est-ce pas ? »

« Je ne me sens pas à l'aise, mais j'espère l'être bientôt. »

« N'importe qui peut lui écrire. Il répond à toutes les lettres. »

« Cherchez la référence. Vous verrez que j'avais raison depuis le début. »

Dès le départ, à Saltnatek, il avait demandé qu'une ordonnance gouvernementale fixe la langue : il ne fallait pas que le vocabulaire se développe pendant le temps où il enquêtait sur le terrain. Toute augmentation mettrait à mal le dénombrement des mots.

Ils ne savaient pas bien comment l'appeler. Certains disaient « Père », ce qui était phonétiquement proche de son nom, tel qu'ils le prononçaient. Ses propres enfants avaient évité, pendant un certain temps, de dire même « tu », écartant de leurs salutations des phrases comme « Qu'est-ce que tu nous as apporté ? » et « Resteras-tu longtemps ? » Ils ressemblaient à des grands malades dans un hôpital, ou à des rebelles détenus. Tout à la fois attentive et distante, leur expression paraissait lui dire :

« Si tu as l'intention d'aller et venir, au moins apporte-nous quelque chose dont nous ayons besoin. »

Ses enfants n'étaient pas fiers de lui. C'était sa faute, à lui seul : il ne leur en avait pas assez dit. Peut-être qu'il avait l'air vieux, mais lui se trouvait jeune. En se rasant, il voyait dans la glace le jeune homme qu'il avait été à l'université. Dans ses rêves, même mauvais, il n'avait jamais plus de vingt et un ans.

Saltnatek représentait sa dernière aventure. Il allait se tourner vers ses vrais enfants, qu'ils fassent bon accueil au vieil explorateur ou non. Ou bien, il trouverait quelque chose d'autre à faire, quelque chose de paisible : il pouvait regarder l'Europe décliner et couler, avec sa mesquinerie et sa cruauté fanée, sa richesse et sa sensiblerie étriquées. On pourrait peut-être tirer quelque chose de la petitesse, prendre quelque mesure du passé et du présent, maintenant qu'ils étaient de même taille et forme, à force d'être moulus et piétinés.

Mais s'il avait perdu son mélange de sens du devoir et de curiosité, son humilité professionnelle, son manque de pitié, qu'adviendrait-il ? Dans ce cas, il pourrait commencer, mais il ne terminerait jamais.

A Helsinki, il avait entendu de jeunes collègues décrire des républiques qu'ils avaient entrevues. On avait l'impression qu'ils avaient été attirés ici ou là pour des raisons fortuites, personnelles. Il n'aimait pas ces raisons et regrettait d'avoir fait allusion, au cours de sa conférence, à l'inceste entre frère et sœur dans tel village de Saltnatek. Il avait pris soin de reconnaître qu'il s'était fondé sur le folklore et les légendes et ne saurait jamais ce qui se passait quand les enfants se mettaient nus. Les actes répétitifs sont religieux, mais avec des enfants, il est impossible de décider s'ils sont païens, athées, agnostiques, panthéistes, animistes, s'il reste un vestige de rituel, une prière anonnée.

Supposons qu'il se serve de ses petits-enfants comme d'un pays mal connu : il aurait besoin d'éplucher leur langage pour y trouver des informations. Que disaient-ils quand ils pensaient « infini » ? A Saltnatek, dans le village, ils lui avaient proposé des images simples : une lumière vacillante, un feu qu'on ne pouvait éteindre, de longs cycles de levers et de couchers de soleil, une nuit lumineuse. Tout et rien.

Peut-être avaient-ils raison et que seul existe le moment présent, pensait-il. Leur conception de l'infinité les regarde. Mais si je commence à me mêler de ce qui me regarde moi, se dit-il, je n'ai plus de raison d'être.

Existait-il des motifs pour s'inquiéter du moment présent en Europe ? Où y avait-il un problème ? Aucun litige n'avait surgi entre le Pays de Galles et la Turquie. L'Italie et le Schleswig-Holstein n'étaient pas en guerre. Il y avait de longues années qu'une partie de la population, en fuite, avait exhumé et emporté ses morts. Il lui semblait maintenant que l'œuvre de sa vie : fouiller, cajoler, corrompre, pour dégager les significations cachées, était l'équivalent de l'exhumation et de la fuite.

Les enfants du village avaient demandé des casques de protection blancs et des motocyclettes. Il leur avait donné des casques, mais avait affirmé ne pas pouvoir importer les motos, dangereuses, qui ébranleraient les fenêtres antiques et feraient pleurer les bébés. De plus, il n'y avait pas de routes. Certaines des villageoises transformèrent les casques en pots à fleurs, mais ils étaient étanches, l'eau ne s'écoulait pas, et les plantes moururent. Les casques, eux, ne pourriraient jamais. Seuls les escargots géants mutilés, rejetés dans l'océan, étaient putrescibles. Le jour où Missierna décida que les casques ne meurent pas et n'ont par conséquent aucun espoir de résurrection, il se demanda si le moment n'était pas venu de s'arrêter de penser.

Il n'aurait pas dû indiquer dans sa communication que les enfants du village étaient d'une beauté inexpressive mais rare, qu'ils voulaient de nouvelles routes, escarpées, et des motocyclettes. Cela risquait de pousser des chercheurs laborieux, lourds, salaces, à aller là-bas les séduire et donner naissance à une race stupide et balourde de plus.

Tout cela lui venait à l'esprit tard le soir dans sa chambre d'hôtel et dans la journée lorsqu'il arpentait les rues d'Helsinki. Il se rendait au consulat de Saltnatek parce qu'il se sentait bizarrement perdu, comme un père qu'une décision de justice aurait privé de toute autorité sur le destin et l'éducation de ses enfants. Il entra dans une librairie réputée être la plus grande d'Europe et un grand magasin qui était apparemment le plus cher. A un coin de rue, il acheta une glace au chocolat dans un cornet en plastique. Il ne rendit pas le cornet, comme il était censé le faire, pensant l'avoir payé. Il traversa une rue animée en se disant : « Ce cornet m'appartient. Je ne vais pas le rendre. »

Ainsi, il était devenu cupide. Ce jugement mineur, nouveau, intéressant, lui occupa l'esprit pendant quelques minutes. Pourquoi garder le cornet ? Même à Saltnatek on le jetterait, même dans le logis le plus pauvre, le plus humble. La vision collective des enfants les amènerait à vouloir des autobus sans conducteurs, des avions sans pilotes, des cours sans professeurs. A vouloir arriver au monde en sachant écrire et compter, ou en ne sachant jamais, tout relevait de la même énigme. Ou bien, savoir un peu de tout.

Il voyait des casques sur un rebord de fenêtre, avec des fougères qui poussaient dedans. Entre-temps, on avait appris aux femmes à se servir de petits cailloux pour draîner l'eau. Il voyait les enfants gravir les côtes à toute allure sur des motocyclettes que d'autres voyageurs avaient apportées.

En l'imaginant, ou en croyant le voir — les deux étaient identiques —, il comprit qu'il ne retournerait jamais là-bas, même s'ils le lui demandaient. Il allait vivre jusqu'au bout ses six années statistiques sur son propre sous-continent. Il imaginerait, ou croirait voir, pourrir ses pilotis, les algues tourbillonner autour de ses fondements. Il respirerait l'air vicié, puant d'organismes marins en décomposition. Peut-être qu'à l'air plus pur de Saltnatek, il aurait pu survivre quelques jours de plus que les six années qui lui étaient imparties. Ensuite ? Tomber mort aux pieds des enfants chapardeurs, vides, entendre pendant une seconde de plus que ne le permet la vie la cadence de leurs rires, se moquant de lui, le vieil étranger décati, curieux, qui tentait encore de leur soutirer par la ruse leur mot pour dire le Royaume des Cieux.

De l'autre côté du pont

Nous traversions à pied le pont de la Concorde, ma mère et moi, bras dessus bras dessous, comme deux sœurs qui ne se disputent jamais. Elle portait mes faire-part de mariage dans un cabas en cuir : j'allais épouser Arnaud Pons, et Gaston Castelli, cousin germain de mon père, député d'une circonscription du Midi, avait accepté d'affranchir ce courrier. Il nous attendait au Palais Bourbon, de l'autre côté du pont.

Son petit bureau ne donnait sur rien d'intéressant, seulement un mur et quelques fenêtres. Une dactylo qui ne paraissait pas avoir d'attribution précise était installée devant sa porte; il pensait qu'elle était là pour l'espionner et c'est pour cette raison qu'il avait demandé à ma mère de cacher les enveloppes.

On m'avait déjà emmenée le voir une ou deux fois. Accrochés au mur, il y avait deux portraits photographiques de Vincent Auriol, Président de la République, dont un était dédicacé, ainsi qu'une photographie du café où Jean Jaurès avait reçu un coup de feu mortel : on en voyait la devanture et les serveurs, debout dans la rue, avec leurs longs tabliers blancs.

Le mobilier se composait d'un fauteuil Louis-Philippe dont les quatre pieds étaient rafistolés avec du sparadrap, un canapé bosselé, masqué sous une couverture, et pour les visiteurs, deux chaises vernies branlantes, chipées dans une autre pièce. Quand l'Assemblée siégeait, il dormait sur le canapé (en fait, les députés n'étaient pas censés résider sur les lieux, mais certains de ceux qui venaient de province préféraient économiser les frais d'hôtel).

Son fils Julien se battait en Indochine. Ma mère m'avait auparavant conseillé de prendre de ses nouvelles, de demander quand, selon lui, la guerre allait finir. Quelques mois plus tôt, elle aurait pu parler à mots couverts d'un mariage possible quand Julien reviendrait, en faisant semblant de plaisanter, mais à présent, le temps des sous-entendus était passé : j'étais pratiquement devant l'autel avec quelqu'un d'autre. L'idée que j'épouse Julien avait fait plaisir à mes parents et au cousin Gaston : d'une certaine façon, nous serions restés leurs enfants à jamais.

Quand le cousin Gaston venait dîner, lui et papa parlaient de leur famille niçoise et de l'état décadent de la France. On ne s'attendait pas à ce que les femmes participent à la conversation ; maman trouvait toujours une raison pour aller bavarder avec Claudine, fille de paysans normands, à qui elle avait appris à faire la cuisine et servir à table. Claudine avait à peu près mon âge, mais maman semblait parler beaucoup plus librement avec elle qu'avec moi, tenant pour évident qu'elle était instruite de tous les tours et détours de la vie.

N'ayant, moi, aucun prétexte pour m'absenter, j'examinais l'argenterie, le motif sur mon assiette, mes mains. Pendant ce temps, les hommes discutaient à n'en plus finir du déclin de la moralité et du manque d'audace des classes moyennes. Ils étaient en désaccord sur ce qu'il fallait faire : notre cousin était socialiste, mais appartenait à la tendance modérée. Il mettait son espoir dans la nouvelle génération de cadres d'après-guerre, qui lisaient Marx sans devenir des marxistes dogmatiques, tandis que mon père pensait que ces hommes brillants seraient balayés comme nous dans la décadence générale.

Le cousin Gaston nous expliqua un jour pourquoi le mobilier de son bureau était si minable. Apparemment, l'État était obligé de dépenser des sommes considérables pour la réfection des routes : elles s'étaient complètement dégradées pendant la guerre et leur état avait évidemment empiré depuis. Des escouades de prisonniers allemands, affectés aux travaux de réparation, avaient comblé l'assiette des chaussées avec des feuilles et des branches sèches. Quand l'assise avait commencé à pourrir, le revêtement s'était effondré. Maintenant, les travaux étaient repris par des ouvriers français, syndiqués, menés par les communistes, toujours sur le point de faire une grève nationale. Il ne restait plus d'argent.

« Il n'est jamais resté d'argent, dit papa. Quand il en reste, ils ne s'en vantent pas. »

Cette histoire d'affranchissement le troublait. La dactylo dans l'antichambre s'en aviserait peut-être et la raconterait à quelque hebdomadaire de l'opposition; ensuite, un journaliste écrirait un article virulent sur le népotisme et l'utilisation abusive des fonds publics, en donnant des noms. (Ma mère ne s'inquiétait jamais, pensant que les petites faveurs faisaient partie des agréments de l'existence.)

Il faisait chaud sur le pont, juillet en avril. Nous portions encore de gros manteaux : on ne devait pas faire confiance à un temps trop beau. Il n'y avait aucun nuage au-dessus du fleuve, seulement le genre de ciel bleu immuable que je trouvais facile à peindre. A mi-chemin, nous nous sommes arrêtées pour regarder un bateau avec des guirlandes de pavillons, et les touristes assis le long du quai. Certains des hommes avaient ôté leur chemise. Je regardai l'eau fixement : je vis comme elle était éloignée et froide, puis j'avouai : « Si je n'étais pas catholique, je m'y jetterais.

— Sylvie ! cria ma mère, comme si elle m'avait perdue au milieu de la foule.

— Nous nous donnons tant de mal simplement pour que je puisse épouser un homme que je n'aime pas.

— Comment sais-tu que tu ne l'aimes pas ?

— Si je l'aimais, je le saurais.

— Tu n'as pas essayé. C'est une question de patience, comme de faire des gammes. Tu ne souhaites pas avoir un mari ?

— Pas Arnaud.

— Que lui reproches-tu ?

— Je ne sais pas. »

Il y eut un silence, puis maman dit : « Eh bien, qu'est-ce que tu sais ?

— Que je veux épouser Bernard Brunelle. Il habite Lille. Son père est propriétaire d'une grande entreprise textile : les usines, tout. Nous correspondons. Il ne sait pas que je suis fiancée.

— Brunelle ? Brunelle ? Les textiles ? de Lille ? J'ai l'impression qu'il s'agit d'une erreur. A Lille, ils se marient entre eux, et les textiles épousent les textiles.

— Il y a une chose dont je suis sûre, c'est que je veux me marier avec Bernard. »

Ma mère était née cajoleuse et enjôleuse ; esquivant la confrontation, elle préférait passer sur un autre terrain et vous faire signe d'approcher en souriant. On promettait pratiquement n'importe quoi, juste pour qu'elle garde le sourire. Elle était mince et vive, comme une adolescente de quatorze ans. Mon père l'aimait coiffée de chapeaux à fleurs, aussi portait-elle les bandeaux fleuris, garnis d'un brin de voilette, qui avaient été à la mode dix ans auparavant.

Papa nous racontait un office funèbre où maman avait enlevé son chapeau pour se draper une mantille sur les cheveux. Un placeur, ayant remarqué le chapeau posé sur le banc à côté d'elle, l'avait déposé parmi les autres fleurs autour du cercueil. Quand j'ai relaté cette histoire à Arnaud, il a répliqué que l'anecdote du chapeau à fleurs était vieille comme le monde. Il l'avait entendue une douzaine de fois, toujours à propos d'obsèques différentes. Je ne comprenais pas pourquoi papa continuerait à la raconter si elle n'était pas vraie, ni pourquoi maman le lui permettait. C'était peut-être elle la première femme à qui cela était arrivé.

« Tu prétends que Bernard t'a écrit, dit-elle de son ton le plus léger, le plus charmant, le plus taquin. Mais où envoyait-il ces lettres ? Pas à la maison, je m'en serais aperçue. »

Aucun conspirateur ne trahit un réseau si facilement. Le mien se composait de Chantal Nauzan, l'amie en laquelle j'avais confiance, fille d'un général que mon père admirait profondément. Ces temps derniers, papa s'était mis à dire que si j'avais été un garçon, il aurait peut-être souhaité que je fasse carrière dans l'armée. Du moment que j'étais une fille, il voulait que je ne fasse rien qui soit hors du commun, spécifique. Il désirait ne pas devoir dire : « Ma fille est... » ou « Sylvie fait... » parce qu'on pourrait en déduire que j'étais démunie ou peu attrayante.

« Chère Sylvie, poursuivit ma mère. Regarde-moi, que je voie tes yeux. A-t-il écrit "mariage" dans une lettre signée de son nom ? »

Je détournai les yeux. Quelle question ! « Veux-tu me montrer cette lettre, celle qui compte ? Je promets de ne pas la lire en entier. »

Je fis non de la tête. Je n'allais pas partager Bernard. Elle passa sur un nouveau terrain, si vite que je pus à peine la suivre.

« Et tu serais prête à te jeter d'un pont à cause de lui ?

— Seulement en pensée. C'est une idée qui me vient quand Arnaud me fait écouter des disques, toutes ces histoires de femmes qui meurent, Brunhild, Mimi et Madame Butterfly. Je songe que pendant le reste de ma vie, j'écouterai des disques et je me souviendrai de Bernard. C'est tout ce qui m'attend, parce que c'est ce que vous désirez, papa et toi.

— Non, répliqua-t-elle, ce n'est pas tout ce que nous désirons. » Elle posa le sac en cuir sur le parapet et le renversa au-dessus du fleuve, en se servant de ses deux mains.

Je regardai les enveloppes tomber en averse lente, se déposer sur l'eau sombre, puis flotter en se disséminant. Des inconnus s'appuyèrent sur le parapet et regardèrent fixement, eux aussi, mais personne ne dit mot.

« Papa saura ce qu'il faut faire maintenant, affirma-t-elle avec un calme absolu, en secouant le sac une dernière fois. En attendant, n'écris plus de lettres et ne parle pas de Bernard. A personne. »

Je n'aurais pu définir ni son ton ni son expression. Elle se comportait comme si nous venions de jouer un tour à la vie, ou aux hommes, mais il se peut que ce soit une interprétation que j'ai trouvée plus tard. Je cherchai un signe qui m'indique comment elle voulait que je réagisse, mais elle s'était remise à marcher, occupée à inventer ce que nous allions raconter à notre cousin, qui attendait toujours dans son bureau, prêt à rendre service. (Pour finir, elle expliqua que le mariage avait été remis à plus tard en raison d'un deuil dans la famille d'Arnaud.)

« Désormais, papa ne jouira plus de l'amitié de Maître Pons, déclara-t-elle. Il va lui manquer. J'espère que ton monsieur Brunelle de Lille pourra compenser cette perte.

— Je ne l'ai jamais rencontré. »

Je voyais des taches blanches entre deux eaux, assez loin en aval. Ce pouvait être des papiers de bonbons ou des débris jetés d'une péniche. Maman avait aussi l'air d'examiner le courant.

« Je ne te demande pas de me dire comment tu l'as rencontré.

— Au jardin du Luxembourg. J'étais en train de dessiner les ruches.

— Tu as peint une jolie aquarelle d'après ce croquis. Je la ferai encadrer. Tu pourras la pendre dans ta chambre. »

Voulait-elle dire maintenant, ou quand je serais mariée ? J'étais plus grande qu'elle : quand je tournais la tête en cherchant à déchiffrer son visage, j'avais les yeux au niveau de son front lisse et du bandeau de pâquerettes qu'elle portait ce jour-là. Elle dit « ma fille » et me prit la main, pas d'une manière possessive, mais comme un geste de bienvenue. Nous étions de la même espèce, semblait-elle me dire, bien qu'elle n'ait jamais rompu de fiançailles, à ma connaissance.

Une autre histoire que racontait mon père, c'était comment elle l'avait demandé en mariage, l'avait poursuivi, coincé, puis lui avait fait cette proposition incroyable. Il était jeune médecin à l'époque, nouvellement arrivé à Paris. Aujourd'hui, il était oto-rhino-laryngologiste, avec une vaste clientèle. Son cabinet, sa secrétaire et sa salle d'attente se trouvaient dans une aile séparée de l'appartement. Quand les fenêtres étaient ouvertes par temps chaud, nous l'entendions rire et plaisanter avec Mlle Coutard, la secrétaire. Elle travaillait pour lui depuis des années et tenait sa comptabilité : il avait coutume de dire qu'elle connaissait tous ses secrets honteux. La famille de ma mère le trouvait trop méridional, trop facile à amuser, trop bruyant quand il riait. Mes arrière-grands-parents Castelli avaient créé un commerce en gros de fruits et légumes, en face de l'ancienne gare routière de Nice. Tout le pâté de maisons était vide maintenant, en attente d'être démoli, pour que de hautes constructions remplacent les entrepôts ocres et les boutiques aux toits rouge foncé. CASTELLI restait peint au-dessus d'une porte, en bleu délavé. Mon père s'était donné du mal pour perdre son accent du pays, qui faisait un effet comique à Paris et empêchait les malades de le prendre au sérieux, mais l'accent reparaissait toujours quand il était avec le cousin Gaston, qui chérissait le sien, le polissait et le perfectionnait : ses électeurs se méfiaient de toute prononciation apparemment originaire de lieux au nord de Marseille.

Je ne saurais dire ce qui se passait dans le monde ce printemps-là : mon père n'aimait pas voir des jeunes femmes lire les journaux. Il m'arrivait des bruits d'Indochine, et les nouvelles de notre cousin Julien faisaient le tour de la famille, mais la guerre elle-même ressemblait au murmure d'une radio dans une pièce éloignée.

Je sais que c'était l'année de « Violettes Impériales », avec Luis Mariano qui tenait le premier rôle. Pendant l'entracte, il est venu dans le foyer du théâtre, où ses enregistrements étaient en vente, pour signer les programmes et les pochettes des disques. J'ai acheté « L'amour est un bouquet de violettes », et nous nous sommes mises à la queue, ma mère et moi, mais quand mon tour est venu, j'ai dit mon nom si doucement que maman a été obligée de le répéter pour moi. Après la représentation, il a eu droit à six rappels et il est resté longtemps sur scène à envoyer des baisers.

« Ne te mets pas à rêver de Mariano, Sylvie, m'a conseillé ma mère. C'est un comédien. Peut-être qu'il ne croit pas un mot de ce qu'il dit de l'amour. »

Je ne risquais pas de me laisser entraîner. Il était trop âgé pour moi, et j'imaginais bien que les acteurs faisaient preuve de la même gentillesse envers tout le monde. J'avais envie d'avoir beaucoup d'enfants et un mari qui serait constamment présent, pas en voyage ni en répétitions. Je voulais qu'il me donne plus d'amour à moi qu'aux autres. Je rêvais de Bernard Brunelle ; j'étais fiancée à Arnaud Pons.

Arnaud était le fils d'un homme que mon père admirait, je pense, plus que tout autre. Ils s'étaient connus par l'intermédiaire d'un des patients de mon père, un certain M. Tarre. Mon père l'avait soigné pour une otite chronique — huit consultations — et pour finir, quand M. Tarre lui avait demandé s'il devait lui faire un chèque ou attendre de recevoir la note, mon père avait expliqué qu'il voulait être payé en espèces, rubis sur l'ongle. M. Tarre avait voulu savoir si c'était habituel et mon père avait répondu qu'à sa connaissance, tous les spécialistes avaient cette pratique. Sur ce, M. Tarre avait menacé de le traîner devant un comité d'éthique. « Et votre secrétaire aussi ! » avait-il hurlé. Nous l'entendions depuis l'autre aile. « Votre complice en forfaiture. » Ma mère m'avait éloignée de la fenêtre et m'avait dit de continuer à être aimable avec Mlle Coutard.

Il s'avéra que M. Tarre était retraité du ministère de la Santé et connaissait tous les règlements. Papa le calma en acceptant de rencontrer un avocat que connaissait M. Tarre, un dénommé Alexandre Pons. Ce nom lui avait plu en raison de sa consonance méridionale ; même lorsqu'il apparut que ces Pons-là étaient parisiens depuis plusieurs générations, mon père continua de leur accorder sa bienveillance.

Maître Pons était venu quelques jours après, accompagné de M. Tarre, qui semblait disposer de tout son temps. Il avait expliqué à mon père qu'un blâme du comité d'éthique n'était rien au regard d'une inculpation pour fraude fiscale. « Imaginez, avait dit Maître Pons, une équipe d'hommes vêtus à la mode britannique, en train de trifouiller dans votre comptabilité. » Il s'était tourné vers son ami Tarre et avait poursuivi : « Dans la vôtre aussi. Une fois qu'ils s'y mettent... »

M. Tarre avait expliqué que sa vie était une maison de verre, que tout un chacun était libre de regarder à l'intérieur, mais après d'autres observations de Maître Pons et deux ou trois propositions généreuses faites par mon père, il avait consenti à laisser tomber l'affaire.

Afin de remercier Maître Pons, et de mieux faire connaissance, papa avait demandé à ma mère de l'inviter à dîner. Pour une raison quelconque, Maître Pons avait attendu plusieurs jours avant d'appeler pour dire qu'il était marié. Sa femme s'était révélée pénible, je m'en souviens, racontant qu'elle s'était évanouie six fois en dix-huit mois et déclarant, juste au moment où l'on servait l'agneau rôti, que l'odeur de la viande lui donnait la nausée.

Toutefois, quand maman s'était aperçue qu'il y avait aussi un fils Pons, âgé de vingt-six ans, célibataire, habitant chez ses parents et employé au service du contentieux d'une grande compagnie d'assurances maritimes, elle les avait invités de nouveau, cette fois avec Arnaud.

« Sylvie est assez artiste. Tout ce qui figure sur les murs de la salle à manger est son œuvre », avait expliqué maman, au cours du deuxième dîner.

Arnaud avait jeté un rapide coup d'œil circulaire. Silencieux, mais pas timide, il avait un visage étroit et des cheveux bruns. L'esprit ailleurs, peut-être en compagnie plus animée, il mangeait tout ce qu'il y avait sur son assiette, en fronçant parfois les sourcils : quand quelque chose semblait à son goût, son expression se rassérénait.

Il m'avait lancé un regard, puis s'était tourné vers mes peintures de la campagne romaine et du port de Naples en 1850. J'étais sûre qu'il voyait que c'étaient des copies, qu'il connaissait les originaux et me méprisait peut-être.

« Ce ne sont que des copies, avais-je réussi à dire.

— Mais tellement sensibles », avait ajouté maman.

Il avait fait oui de la tête, comme pour saluer une connaissance lointaine et plutôt indiscrète — un regard ni froid ni tout à fait chaleureux. Je m'étais demandée à quoi ressemblaient ses amis et s'ils étaient tenus de réussir un examen spécial avant qu'il accepte de leur parler.

Après le dîner, au salon, il y avait eu les habituels problèmes autour du café. Claudine avait été lente à servir, et particulièrement lente à desservir les tasses vides. Un guéridon de style chinois était installé juste en dessous du lustre, mais maman exigeait qu'on ne pose jamais rien dessus. Elle avait trouvé une excuse pour attirer les regards sur le dallage en marbre, parce que son aspect glacé lui plaisait, mais personne n'y avait prêté attention. Mme Pons s'était assise la première. Elle avait posé sa tasse par terre, croisé les jambes et marqué du pied la mesure d'un air qui se jouait dans sa tête. Peut-être se rappelait-elle une soirée avant son mariage, où elle avait dansé en jupe plissée, parée de colliers : j'avais vu des portraits de ma mère ainsi vêtue.

En ce qui me concernait, j'avais résolu le problème de la tasse en refusant le café. Ensuite, j'avais choisi un fauteuil à quelque distance de Mme Pons, ayant deviné qu'elle allait bientôt émerger de sa rêverie et commencer à poser des questions personnelles. J'avais regardé mes mains et je m'étais aperçue qu'elles étaient tachées de peinture. Je m'étais assise dessus : personne ne s'était avisé de leur état.

Ma mère avait montré des croquis et des aquarelles non encadrées qu'elle avait réunis dans un carton à dessin : d'autres vues d'Italie, des copies, des scènes des parcs parisiens esquissées d'après nature.

« Prenez-en un ! Prenez-en un ! » avait-elle insisté.

Mon père était allé voir quel était le goût d'Arnaud. Il avait choisi ce qui se trouvait le plus près de lui, un pastel du Vésuve qui n'était pas ce que j'avais le mieux réussi. Mon père avait ri et affirmé que mon idée d'un volcan en éruption ressemblait à l'incendie d'une meule de foin.

Le père de Bernard ne réagit pas aux premières approches du mien, une lettre qui commençait par ces mots : « Si je comprends bien, nos deux enfants, Bernard et Sylvie, sont désireux d'unir leurs destins. » Il était probablement en train de s'assurer de notre solvabilité, pensait papa.

Ma mère annula les mariages, civil et religieux. Il restait quelques cadeaux à rendre aux proches parents. Les noms des autres invités s'étaient dissous dans la Seine.

« Il faut faire vite », avait-elle dit à mon père, après qu'on lui eut expliqué le brusque changement une demi-douzaine de fois et qu'il se fut presque remis du choc. Il s'était demandé si cette hâte était liée à la honte, bien qu'il eût peine à le croire de ma part. Non, non, rien de tel, avait-elle répondu. Elle souhaitait me voir sécurisée, stabilisée, entre de bonnes mains. Eh bien, naturellement, lui aussi voulait quelque chose de ce genre.

Quant à moi, j'étais convaincue d'être venue au monde pour épouser Bernard Brunelle et aller vivre à Lille dans une grande maison en pierre. (« En briques, avait corrigé mon amie Chantal, quand je lui en ai parlé. C'est tout brique à Lille. ») Il y aurait un étage entier consacré aux nurseries, chambres, salles de classe de mes enfants. Ils apprendraient l'anglais, le russe, l'allemand et l'italien. Ils auraient des tuteurs et des gouvernantes, des vacances au bord de la mer, des poneys à monter, des goûters d'anniversaire avec d'énormes gâteaux roses, des domestiques gantés de blanc.

Je n'avais jamais connu personne qui vive ainsi, mais ma vision était si précise et haute en couleurs qu'elle devait m'être dictée du ciel. Je voyais les rideaux dans les chambres des enfants, leurs cheveux bien peignés, leurs yeux clairs et leurs cahiers impeccables. Je savais qu'il pouvait pleuvoir à Lille, jour après jour : je ne m'en plaindrais jamais. Le climat ferait partie de ma vie enchantée.

Nous en étions arrivés au moment où Arnaud serait convié par mon père à un entretien sérieux. C'est alors que papa a reculé, disant qu'il ne ferait rien sans que ma mère soit présente. Après tout, j'avais deux parents. Il pensait inviter Arnaud à déjeuner au restaurant, chez Lipp par exemple, si bruyant et bondé qu'on ne ferait pas attention si Arnaud donnait des signes d'émotion violente. Maman fit remarquer qu'on en arrivait toujours à essayer de crier plus fort que le bruit, si bien qu'au bout du compte la conversation risquait d'être surprise. Pour finir, papa lui demanda de venir chez nous, vers cinq heures.

Arnaud arriva portant des jonquilles pour ma mère et un bouquet plus petit pour moi. Il pensait que papa envisageait de modifier le contrat de mariage, qu'il allait nous acheter un appartement au comptant au lieu de nous accorder un prêt sur vingt ans, indexé, sans intérêts.

Mes parents le reçurent au salon, debout. Maman lui tendit l'enveloppe contenant la lettre de rupture qu'elle m'avait aidée à rédiger. Si je m'étais bornée à l'analyse précise la plus stricte, c'eût été : « J'ai essayé de vous aimer, mais je n'y arrive pas. Mes sentiments envers vous sont cordiaux et pleins de respect. Si vous ne voulez pas que je vous prenne en grippe, je vous en prie, allez-vous-en. »

Je crois que telle est la vérité dans ce genre d'échec, seulement personne ne le dit. De toute façon, maman n'aurait rien permis de semblable. Elle avait dicté des excuses détournées qui s'achevaient sur des vœux de bonheur futur. Quel bonheur souhaitions-nous à Arnaud ? La tranquillité d'esprit, je suppose.

Papa s'approcha de la fenêtre où il se mit à tambouriner contre la vitre. Il fit une observation irréfléchie, que le temps étant si clair, il voyait une partie de Saint-Augustin. En fait, une pluie grise, torrentielle, cinglante, obscurcissait tout à l'exception de la première rangée d'arbres.

Arnaud leva les yeux de la lettre et dit : « Je dois rêver. » Son visage intelligent et mélancolique avait la couleur de la pluie. Ma mère eut peur qu'il ne s'évanouisse, comme Mme Pons aimait tant le faire, et que sa tête heurte le sol en marbre. Le froid du dallage pénétrait à travers les semelles, aussi maman essaya-t-elle d'amener les hommes vers un tapis, mais Arnaud semblait paralysé. Pour meubler le silence, elle disserta sur le marbre du sol, expliquant qu'il venait d'Italie, et qu'on l'avait mise en garde à son sujet parce qu'il était difficile à entretenir et restait glacé.

Arnaud regarda fixement ses pieds, puis ceux de ma mère. Il finit par demander où je me trouvais.

« Sylvie s'est retirée du monde », répondit maman. Comme je n'avais pas évoqué le mariage avec un autre dans ma lettre, il posa une seconde question, logique : est-ce que j'envisageais d'entrer en religion ?

La pluie, qui mettait en pièces les fleurs de marronnier au-dehors, faisait un bruit de gravier projeté contre les vitres ; je le sais, parce que j'étais dans ma chambre, un peu plus loin. Je ne pouvais pas le voir à ce moment-là, glacé et abasourdi. Il constituait un obstacle sur une voie ferrée ; ma mère, tendre et compétente, avait consenti à l'écarter des rails.

« Et si ses parents viennent ici faire des histoires ? demandai-je ce soir-là.

— Ils n'oseraient jamais, répondit-elle. Tu te trouvais à un niveau dont ils n'avaient jamais rêvé. »

C'était une façon nouvelle, surprenante, de voir les Pons. Jusqu'alors, par l'éducation, le milieu et l'intérêt pour le passé, ils avaient compensé un manque de prévoyance gênant, n'ayant acquis aucune propriété à léguer à leur fils unique. Ils occupaient le même appartement obscur, dans un quartier minable, depuis qu'ils l'avaient loué en 1926, année de leur mariage. Il se trouvait dans une rue où s'alignaient des boutiques rebutantes et des bureaux d'assureurs, à l'est de la gare Saint-Lazare, près de la vieille église allemande. (Arnaud m'y avait emmenée écouter un concert de musique enregistrée. Je n'étais jamais entrée dans une église protestante. Elle était sévère et nue, avec un air vaguement utilitaire, comme un vaste placard à balais. Je m'étais demandé où ils ourdissaient les complots dont parlait souvent le cousin Gaston, tels que l'écrasement de la culture méditerranéenne par des moyens pacifiques. Je me souviens de m'être sentie solitaire et déplacée, et d'avoir pris la main d'Arnaud. Lui affichait son expression distante, à-l'écoute-de-la-musique, et paraissait ne s'apercevoir de rien. Quoi qu'il en fût, cela ne le gênait pas.)

Les familles du genre des Pons avaient quitté le quartier depuis longtemps, mais le père d'Arnaud expliquait que ses objets personnels étaient trop anciens et précieux pour être cahotés en descendant un escalier en colimaçon et hissés dans un camion. Papa pensait qu'il voulait simplement se cramponner à son bail renouvelable qui tombait sous la loi de 1948 : il continuait à payer à peu près le même loyer qu'avant la guerre.

Les sommes ainsi économisées n'avaient jamais été dilapidées en peinture ni en rideaux neufs. Les onze pièces de l'appartement, aussi décaties les unes que les autres, étaient toutes pareilles : on ne savait jamais si on se trouvait dans une salle à manger ou une chambre à coucher. Il y avait des tables et des lits anciens partout. Toutes les glaces étaient piquées de ces taches sombres qui font penser à des cartes géographiques. Papa se demandait souvent si les Pons se voyaient vraiment blancs argentés, avec des visages en partie tachetés ou manquants.

Une des premières choses que Mme Pons m'avait montrées, c'était un clavecin muet qui nous était destiné, à Arnaud et moi. Lui redonner un aspect convenable, sans parler du son, aurait requis des mois de restauration experte, dépassant les moyens d'Arnaud.

En quête d'un sujet de conversation, mon regard s'était posé, dans un coin sombre et reculé, sur une baignoire et une table de toilette, reliques précieuses, à leur manière, rayées et tachées par les ans. Quelqu'un s'en était servi récemment : les serviettes de toilette suspendues tout près avaient l'air humides. J'avais de bonnes raisons de croire que les mêmes servaient à toute la famille.

Quel ennui eut Maître Pons, l'hiver de mes fiançailles ? Même papa ne réussit pas à le savoir. Son hypothèse fut qu'il avait donné trop de conseils fiscaux, sur une trop grande échelle. Il enleva de sa porte la plaque en cuivre qui indiquait les heures de bureau et prit un emploi dans un cabinet qui ne portait pas son nom.

Les antécédents de sa femme étaient singuliers, à la fois aristocratiques et vaguement gitans. Mes parents se demandaient ce que cela pouvait impliquer : mes enfants hériteraient un quart de sang bleu, c'est vrai, mais ils pouvaient aussi bien être enclins à danser nus à Montmartre.

Son père avait été tué au cours de la Grande Guerre, léguant des meubles, un nom, et une longue tradition de morts au combat. Elle était la première femme de son milieu à avoir jamais travaillé. Sa mère pleurait tous les matins en la regardant épingler son chapeau et compter l'argent pour son déjeuner. Elle l'appelait Marie Eugénie Paule Diane. Son mari l'appelait Nénanne, je n'ai jamais su pourquoi.

Arnaud avait fait du droit, par respect de la tradition familiale, mais sa véritable vocation, c'était d'écrire sur la musique. Il regrettait de ne pas être critique musical d'un quotidien, incorruptible et redouté. Il souhaitait dévoiler l'inauthenticité et la vulgarité du goût parisien, expliquait-il. Les chefs d'orchestre et les sopranos éprouveraient cette pointe supplémentaire d'angoisse qui suscite une exécution de qualité, sachant que l'intègre Arnaud Pons se trouvait dans la salle. (Arnaud, disait mon père, n'était pas à même de juger de son intégrité, n'ayant jamais tenté de gagner sa vie en faisant de la critique à Paris.)

Nous passions le plus clair de notre temps à écouter des enregistrements, tandis qu'Arnaud m'exposait les défauts de Toscanini ou de Bruno Walter. Il arrêtait le disque, puis repassait la même partie en m'indiquant les erreurs. La musique paraissait aussi usée et défraîchie que la pièce. Je voyais les musiciens de ces grandes formations du passé couverts de poussière, jouant d'instruments fissurés, fendus, maculés d'empreintes de doigts, maintenus à force de colle et de ficelle. Mes enfants lillois avaient des instruments irréprochables, parfaitement accordés. Leur musique se diffusait dans un jardin sombre, trempé de pluie silencieuse, mais à cet instant-là, mes pensées étaient rattrapées par les hurlements, les cris perçants de l'un des sopranos condamnés d'Arnaud — une Tosca, une Mimi — et je fermais les yeux, me laissant couler. Une nappe d'eau immobile venait à ma rencontre ; je n'étais pas en train de mourir, mais de lâcher prise.

Le père de Bernard répondit aux secondes approches de papa, qui ressemblaient beaucoup aux premières. Il expliquait que son fils était étudiant, sans toit ni revenus personnels. Il se passerait beaucoup de temps avant qu'il soit en mesure de lier son destin à celui d'une autre, et ce ne serait pas au mien. Bernard n'avait pas de penchant pour moi, pas le moindre : il m'avait trouvée sympathique et artiste, désireuse de plaire, sans doute un peu solitaire. Étant épistolier invétéré, avec des correspondants jusqu'en Belgique, Bernard m'avait tendu une main épistolaire amicale. Je m'en étais emparée et j'en avais fait un engagement.

Bernard se disait prêt à jurer devant un tribunal, si, parmi ses aberrations, mon père avait l'intention de faire un procès, qu'il n'avait pris aucun risque et était toujours resté sur ses gardes avec une jeune personne libre, rencontrée dans un jardin public. (Mes parents furent intrigués par le « libre » ; il me fallut expliquer que j'enlevais ma bague de fiançailles et que je la mettais dans ma poche. Ils demandèrent pourquoi. Je ne pus m'en souvenir.)

M. Brunelle, continuait la réponse, espérait que M. Castelli saurait mettre un terme à mes débordements ardents sous forme de lettres. Leur contenu agité et leur fréquence — jusqu'à trois par jour — entravaient les études de Bernard et l'empêchaient même de dormir. Assurément, mon père ne voulait pas voir galvauder ma jeune passion pour un fantasme sans fondement (« une chimère qui ne peut que se tarir dans le Sahara de la désillusion »), telles étaient les paroles exactes de M. Brunelle. Il donnait à mon père sa parole de *gentleman* que mes effusions avaient été détruites.

Mes parents s'enfermèrent dans leur chambre. Depuis la mienne, où j'étais assise à la fenêtre, les missives de Bernard dans les mains, j'entendais les cris de mon père, qui blâmait maman. Quand elle finit par entrer, je me levai et lui tendis le paquet entier : trois lettres et une carte postale.

« Seulement celle qui compte, dit-elle. Celle que j'aurais dû te demander de me montrer en avril dernier. Je veux la lettre où il est question de mariage.

— C'était écrit entre les lignes, répondis-je en observant son visage tandis qu'elle lisait.

— C'était nulle part. » Tout d'un coup, elle parut me plaindre. « Oh, Sylvie, Sylvie, Sylvie. Ma pauvre Sylvie. Déchire-les. Déchire-les toutes. Tout cela parce que tu ne voulais pas essayer d'aimer Arnaud.

— Je croyais qu'il m'aimait. Bernard, veux-je dire. Il ne m'a jamais détrompée. »

La vision paradisiaque de ma vie future avait déjà pâli, les voix de mes enfants angéliques étaient devenues indistinctes. Maintenant, j'aurais pu être en train de tourner les pages d'un vieux livre d'histoire avec des gravures en noir et blanc.

« Je vais faire des excuses à papa et lui demander de me pardonner. Je ne peux pas expliquer ce qui s'est passé. Je croyais que Bernard désirait la même chose que moi. Il ne m'a jamais détrompée. Je promets de ne plus faire de peintures. »

Je n'avais pas eu l'intention de faire cette déclaration au sujet de la peinture : elle se fit d'elle-même. Avant que j'aie pu la retirer, maman dit : « Te pardonner ? Tu te conduis comme une enfant. Est-ce que le pardon suppose que nous adressions nos excuses les plus humbles à la famille Brunelle et que nous devions admettre que notre fille unique est une sotte ? Est-ce qu'il explique un comportement qu'aucune personne de bon sens puisse comprendre ? Les parents savaient ce qu'ils faisaient quand ils bridaient leurs filles. Ma mère a lu toutes les lettres que j'ai écrites jusqu'à ce que je me marie. Nous avons été trop aimants, trop indulgents. » Elle avait les traits tirés, le visage amenuisé. Son amour, ses allégeances, tout ce qui lui restait de jeunesse et de charme se détachèrent de moi pour être rameutés au service de papa. Elle se tenait parfaitement immobile, pour ainsi dire au garde-à-vous. Je pense que nous étions embarrassées toutes les deux. Elle avait l'air d'attendre un signal pour pouvoir quitter la pièce. Finalement, mon père l'appela et je l'entendis marmonner : « Laisse-moi passer », bien que je ne fusse pas du tout sur son chemin.

Mon amie Chantal, ma poste restante, mon intermédiaire, vint dès qu'elle apprit la nouvelle. C'est ma mère qui l'avait chuchotée à celle de Chantal, au téléphone, dans une version des événements qui me disculpait entièrement et faisait des Brunelle des commerçants provinciaux parvenus, coureurs de dot malhonnêtes. Chantal n'en pensait pas moins, bien qu'elle crût encore que les Brunelle avaient présenté de faux arguments et qu'ils méritaient des reproches.

Elle m'avait apporté des chocolats pour me remonter

le moral : nous en avons mangé pratiquement une boîte entière, assises dans un coin du salon comme deux voyageurs en transit dans un hall d'hôtel. Elle avait les cheveux coiffés à la dernière mode, coupés court, avec des boucles épaisses sur le front. J'ai oublié le nom de l'actrice qui avait été à l'origine de cette mode : Chantal me l'avait dit, mais je n'étais pas arrivée à le retenir.

C'était une amie véritable, peut-être parce qu'elle ne m'avait jamais prise au sérieux comme rivale ; en disant cela, il se peut que je la méconnaisse. En tout cas, elle me donna sans tarder des conseils énergiques. Il fallait que je me fasse couper les cheveux, que je change d'allure. C'était le premier pas sur la voie d'une nouvelle vie. Elle savait que j'aimais les enfants et que je n'en aurais peut-être pas à moi, que je ne savais absolument pas m'y prendre pour faire connaissance d'un homme, ni pour le retenir si j'avais la chance d'en rencontrer un. Faute de mieux, il serait bon que je suive une formation pour être jardinière d'enfants. Ce n'était pas très exigeant : on leur apprenait à dessiner avec des crayons de couleur, à chanter et à faire la ronde. Il fallait les mettre sur le pot après le déjeuner et étendre des couvertures par terre pour la sieste de l'après-midi. Elle connaissait un grand nombre de jeunes filles qui l'avaient fait après avoir, pour une raison ou pour une autre, rompu leurs fiançailles.

Elle avait récemment fait la connaissance d'un lieutenant de vaisseau, pendant qu'elle passait ses vacances en famille dans les Alpes, et ils envisageaient de se marier à Noël. Je pourrais peut-être persuader ma famille de tenter la même chose, mais se trouver un fiancé en montagne était une idée neuve, hasardeuse et risquée, pour ma mère, tandis que mon père imaginait des escrocs et des étrangers en train de piétiner la neige à la poursuite de jeunes filles.

Papa ne me regardait plus depuis ce qu'il dénommait le « fiasco ». Quand il avait quelque chose à dire, il le criait à maman. Ils ne prirent pas leurs vacances annuelles cet été-là, mais restèrent dans l'appartement, derrière des volets clos, faisant pénitence pour mes péchés. La terre entière était partie, sauf nous.

De Normandie, Claudine envoya à maman une carte postale de la basilique de Lisieux portant ce message : « Ma maman, en tant que mère, partage respectueusement votre chagrin », comme si j'étais morte.

Un soir au dîner, rideaux tirés, presque en silence, papa tendit subitement les mains, les paumes vers le haut. « Combien en comptes-tu ? me demanda-t-il.

— Deux ? » J'en fis une question, flairant le piège.

« Bien. Deux mains. Tout ce qu'il m'a fallu pour me hisser au sommet de ma profession. J'ai donné la vie qu'elle souhaitait à ma femme, et à ma fille, une éducation de princesse. »

Je percevais l'attention soutenue de ma mère, son désir de me voir dire ce qu'attendait mon père. Il avait pratiquement vidé à lui tout seul une bouteille de Brouilly et semblait prêt à agir impétueusement. En fin de compte, son message était simple : il m'avait pardonné. Ma vie était gâchée, la réputation de notre famille gravement entachée, mais ce n'était pas entièrement ma faute. Il n'y avait qu'à regarder les jeunes gens auxquels j'avais affaire : des chiots châtrés. Rien d'étonnant à ce qu'il y ait tant de vieille filles à l'heure qu'il était. J'avais raté la seule génération virile du vingtième siècle, la classe d'âge qui comprenait Maître Pons, le cousin Gaston et, bien entendu, lui-même.

« Nous avons constitué un barreau solide sur l'échelle du progrès, dit-il. Après nous, l'échelle s'est entièrement effondrée. » Le nom de Pons, rarement prononcé, semblait évoquer quelque catastrophe lointaine, qu'un petit nombre rappelait fidèlement. Il baissa la tête et je pensai, pourvu qu'il ne pleure pas. Je me souvins de ma mère disant : « Nous avons été trop aimants. » Je vis l'entrepôt à Nice et notre nom, d'un bleu délavé. Il ne restait plus de Castelli, si ce n'est Julien, en Indochine. J'enfouis mon visage dans ma serviette de table et me mis à pleurer bruyamment.

Papa se dérida. « Deux mains, dit-il, s'adressant cette fois-ci à maman. Sans recevoir d'aide de personne, n'est-ce pas ?

— Tout le monde t'admirait », répondit-elle, puis elle enleva les assiettes et apporta le dessert. J'étais trop accablée pour l'aider ; qui plus est, elle ne voulait pas de moi. Claudine lui manquait. Elle revint s'asseoir et regarda papa, m'excluant. J'étais une invitée fastidieuse, comme Mme Pons, prête à devenir hystérique à la vue d'une côtelette de veau. Peut-être auraient-ils préféré sa compagnie à la mienne, si on leur avait laissé le choix : elle ne leur avait fait aucun mal et leur avait procuré l'occasion de rire.

Je ne pris pas de dessert, mais personne ne s'en soucia. Ils continuèrent à manger leurs figues fraîches pochées dans le miel, avec de la crème épaisse : un mets trop sucré pour maman, mais un des favoris de papa : « Plus il y a de sucre, plus l'humeur est douce », telle était la vérité élémentaire qu'elle appliquait à la vie conjugale.

Ma mère rêva qu'elle avait vu quelqu'un pousser une jeune femme du haut d'un grand bâtiment. Celle-ci avait plongé la tête la première, son voile de mariée flottant au vent. Le voile se matérialisa le lendemain, tandis que des détails du rêve lui revenaient. Pour commencer, elle décrivit la victime comme un homme, mais le voile confirma son erreur. Elle fit allusion au choc et à l'horreur provoqués par ma déclaration sur le pont de la

Concorde. Ce rêve lui avait sûrement été envoyé en guise d'avertissement : il ne fallait pas me contrarier, me contredire durement ni me pousser dans une mauvaise direction.

Les projets de Chantal pour mon avenir lui avaient paru pires que sots : ils lui avaient semblé franchement dangereux. Je ne connaissais rien aux petits enfants ; je leur laisserais avaler des pièces de monnaie et des bouts de crayon ; j'en oublierais un ou deux lorsque je les emmènerais dans les parcs et les squares ; je perdrais leurs bottes en caoutchouc et leurs tricots. Les jardins d'enfants étaient bons pour les religieuses et les célibataires dévouées. Ce qui comptait plus encore, c'est qu'on ne trouvait pas d'hommes en ces lieux, à l'exception, de temps à autre, d'un inspecteur déjà marié et mal payé. Les hommes qui gagnaient des salaires de misère se mariaient toujours jeunes. Ce n'était pas une opinion, assurait ma mère, c'était une statistique.

A cause du rêve, elle se mit à manifester ses sentiments par des allusions, des silences, ou en relatant des anecdotes au sujet d'enseignantes célibataires, pitoyables et désespérées, qu'elle avait connues. Je n'avais jamais entendu ces noms auparavant et je me demandai comment elle était tombée sur toutes ces Martines et ces Georgettes. Mon père, qui n'était pas sensible aux rêves, surtout pas à ceux qui étaient menaçants, voulut savoir pourquoi je ressentais une envie si vive d'essuyer le nez et le derrière d'enfants qui ne m'étaient proches en rien. Il était déjà suffisamment ingrat de s'occuper de sa propre progéniture. Il parla de l'égoïsme intense des jeunes, de leurs questions stupides, de leur goût de la saleté. Il n'y avait rien de plus étouffant pour une intelligence adulte que le cycle enfantin de journées égocentriques et de longs étés informes.

Je pris l'habitude de dormir longtemps. Rien ne me

tirait du sommeil, pas même le bruit que faisait papa en appelant maman d'une pièce à l'autre. A midi, je me traînais jusqu'à la cuisine, sans avoir fait ma toilette, et je faisais réchauffer un reste de café. Claudine, qui était revenue faire l'objet de l'attention exclusive de ma mère, lavait la laitue, panait les escalopes pour le déjeuner et circulait autour de moi comme si j'étais un meuble.

Un matin, maman m'apporta mon petit déjeuner sur un plateau, s'assit au bord du lit et m'annonça que Julien était porté disparu. Il était soit prisonnier, soit mort. En attendant des nouvelles, je devais mener une vie tranquille et prier. Elle était en tenue de ville, selon mes souvenirs, avec des vêtements qui ne convenaient pas pour la saison : toute en bleu pâle, coiffée d'un bandeau orné de myosotis, avec des boucles d'oreille en turquoise et une quantité de petites chaînes. Sa montre neuve, le dernier cadeau de papa, était de la taille d'une pièce de monnaie : il lui fallait l'approcher de ses yeux pour lire l'heure.

«Il n'est pas trop tard, tu sais», dit-elle. Je la dévisageai. «Trop tard pour Arnaud.»

Je compris qu'elle voulait dire que lui aussi pouvait encore se faire tuer en Indochine, si c'était ce qu'il souhaitait. A entendre le cousin Gaston et papa, on pouvait imaginer que tel était le plus cher désir de tous les hommes plus jeunes. Je commençai à dire qu'Arnaud avait vingt-sept ans à présent et qu'il était peut-être trop vieux pour faire la guerre, mais maman m'interrompit : Arnaud avait quitté Paris pour Rennes. En avril dernier, après l'entretien au salon, il avait demandé à sa compagnie d'assurances maritimes de le nommer dans une succursale. Il avait fallu des mois pour lui trouver l'endroit idoine. Étant Arnaud, il avait non seulement demandé un transfert mais aussi une promotion.

Jusqu'à ces cinq derniers jours, il y avait toujours eu

une femme pour s'occuper de lui, à savoir Mme Pons. Elle était convaincue qu'il s'était déjà mis à faire des recherches pour se trouver une épouse. Il commencerait probablement par les employées de sa nouvelle agence, puis élargirait le champ jusqu'à l'église et aux concerts.

« Il n'est pas trop tard, répéta maman.

— Arnaud me déteste maintenant, répliquai-je. Et puis, je suis capable de travailler. Je peux suivre une formation quelconque. Mme Pons avait travaillé.

— Nous ne savons pas ce qu'elle faisait.

— Je pourrais m'occuper d'enfants, les emmener promener l'après-midi. »

Les petits qu'on m'avait confiés, en double file, main dans la main, attendaient au bord du trottoir. Un agent de police arrêtait la circulation. Nous traversions et nous pénétrions dans la cour d'une ancienne abbaye, aujourd'hui musée. Les enfants grimpaient sur des fragments de statues et des colonnes brisées. Je leur montrais des anges médiévaux. Mme Pons ne voulait pas d'une belle-fille provinciale, m'assura ma mère. C'est moi qu'elle voulait, comme avant.

Je compris pour la première fois cette entente qui existe entre mères et la conspiration qui ne s'achève jamais. Elles se tiennent côte à côte comme des arbres, ombrageant, protégeant, occultant la vue si d'aventure cela leur convient, laissant pénétrer tant de lumière, pas plus.

Elle entreprit d'enlever le plateau, bien que je n'eusse touché à rien.

« Lève-toi, Sylvie », dit-elle. N'était le ton de voix, on aurait pu croire à un ordre. Ses manières cajoleuses, mutines, étaient revenues. Je m'interrogeais toujours sur la robe bleu pâle : faisait-elle semblant de croire à la venue du printemps, en essayant de prendre le fil interrompu en avril ? « Il est temps de te faire couper les cheveux. Tu as parfois l'air d'avoir dix-huit ans. C'est peut-être en partie la raison de tes ennuis. Nous pourrions déjeuner aux Trois Quartiers et renouveler ta garde-robe. Heureusement que nous avons papa, qui ne grogne pas quand nous faisons des dépenses. »

Ma mère n'avait jamais eu de compte en banque personnel, n'avait jamais signé de chèque. En tant que femme mariée, elle aurait eu besoin de l'accord de papa ; lui préférait livrer des liasses de billets à la demande. Mlle Coutard préparait les enveloppes et inscrivait les sommes dans un grand livre. Grâce à un système conçu par Maître Pons, cet argent était déductible des impôts de papa.

« Et puis, ajouta maman, tu pourras aller passer quinze jours à la montagne. » Cela ne constituait pas une surprise. Chantal et son lieutenant avaient envie de retourner à Chamonix en pèlerinage d'amoureux, mais le père de Chantal, le général Nauzan, ne voulait pas en entendre parler à moins que j'y aille aussi. Ma mission consistait en partie à dormir dans sa chambre : les Nauzan ne seraient pas obligés de précipiter les noces ou de voir arriver un beau et gros bébé sept mois après la cérémonie, qu'il faudrait faire passer pour prématuré. Pour que je ne me sente pas de trop, dans la journée tout au moins, le lieutenant allait amener son frère, âgé de quinze ans.

(La première semaine à Chamonix était largement entamée quand Chantal prit l'habitude de disparaître l'après-midi, me laissant prendre une leçon de tennis auprès du champion. Je crois me rappeler qu'elle me confia, la nuit dans l'obscurité de notre chambre partagée : « Pour te dire la vérité, je pourrais me passer de tout ce côté-là. Veux-tu l'accompagner demain, au lieu de moi ? Il te trouve très bien. » Mais ce genre de souvenir, c'est comme d'essayer de lire un livre auquel il manque des pages. Certaines choses sont dites par intervalles, sans qu'il y ait de liens entre elles.)

Comme l'avait souhaité ma mère, je me levai et m'habillai, et nous prîmes le bus pour aller chez la coiffeuse. Elle s'était baptisée Ingrid. Collées sur le grand miroir mural, il y avait une douzaine de photographies, découpées dans *Paris-Match*, d'Ingrid Bergman et son petit garçon. J'enfilai une blouse rose qui couvrait mes vêtements et Ingrid coupa mes longs cheveux. Ma mère en conserva quelques mèches, une pour papa, les autres au cas où, plus tard, je voudrais voir à quoi j'avais ressemblé. Les deux femmes tombèrent d'accord que j'aurais l'air ridicule avec des boucles sur le front, si bien qu'Ingrid me fit une coiffure lisse.

Chantal avait dit vrai : j'avais complètement changé d'aspect. Je paraissais totalement assurée, vive, légèrement intimidante. Ingrid leva une glace à main pour que je voie ma nuque et mon profil. Je tournai la tête lentement.

J'avais un cou mince, des oreilles parfaites et le front de ma mère. Une pensée me traversa l'esprit et s'évanouit : avec sa robe bleue, son chapeau bleu à fleurs et ses nombreux colifichets, maman avait l'air d'une petite fille déguisée. Je me contemplai longuement et les deux femmes échangèrent un sourire. Je vis leurs regards se croiser dans la glace. Elles croyaient observer une fierté naissante, d'un genre susceptible de me rendre forte. Même la vanité les aurait satisfaites, n'importe quel éveil ferait l'affaire.

Moi, je ne ressentais que le désir d'une vie qui serait en accord avec ma nouvelle apparence. C'était une aspiration plus passionnée et mystérieuse que n'importe quel amour. Mon rôle ne pouvait être interprété par une autre personne. A présent, tout ce que j'avais à faire, c'était d'attendre que ma vraie vie se dévoile et que les autres acteurs m'ouvrent la porte.

Pour mon père, les nouvelles d'Indochine s'inscrivaient dans la malédiction familiale. Il avait espéré que j'épouserais Julien ; il aurait eu des petits-enfants Castelli. Seulement, Julien et moi étions d'âges trop rapprochés et nous nous disputions sans arrêt. Il ressemblait plus à un frère. Le mot « amoureux » comportait encore une certaine mesure d'ignorance. Peut-être avais-je toujours cherché un inconnu. Papa disait que c'étaient les meilleurs qui tombaient, comme dans toutes les guerres. Il regrettait de ne pas avoir été tué au cours de celle qui venait de s'achever ; il avait survécu pour voir sa fille unique sur le carreau, une bonne famille pratiquement éteinte, la nation tout entière oisive et ramollie.

Toutes ces choses, et d'autres encore, il me les répéta en me conduisant à la gare où je devais retrouver Chantal, le lieutenant et le champion junior. Ses paroles d'adieu me reprochaient mon indifférence au destin de Julien et je montai dans le train en larmes.

Ma mère était restée à la maison, assise devant le petit bureau impeccable où elle échafaudait tant de projets graves. Pour la première fois de sa vie, elle faisait des invitations à dîner au téléphone. J'ai toujours la lettre qu'elle m'envoya à Chamonix, décrivant leur menu et la tenue de Mme Pons : robe rose saumon, sans manches, avec des talons aiguille et des fausses perles. Elle portait aussi la bague de fiançailles que j'avais rendue. A présent, Mme Pons pouvait se permettre des fautes de goût et de jugement : c'est nous qui étions les demandeurs.

Mon père avait été prévenu qu'il y aurait du poisson, à cause de Mme Pons, mais il l'avait oublié et dit à voix haute : « Dois-je comprendre qu'il n'y a rien après le turbot ? Les bouchers seraient-ils en grève ? Est-ce le

Vendredi saint ? Le monde entier a-t-il déraillé ? Pauvre France ! s'exclama-t-il, en se tournant vers Maître Pons. Je parle sérieusement. Ces changements d'us et coutumes font partie du déclin. »

Les deux invités feignirent de ne pas entendre. Ils contemplèrent longuement le port de Naples, craignant, suggéra papa plus tard, que nous ne tentions de le leur offrir.

Quand papa me demanda si je m'étais plu dans les Alpes, je répondis : « J'ai beaucoup joué au tennis. » Cela jeta un froid, comme je l'avais espéré, et il se mit à parler d'un homme qui venait de déserter pour cause de pacifisme et qui méritait d'être fusillé.

Maman me prit à part dès qu'elle le put et me donna des nouvelles. Arnaud était encore indécis. Son droit de choisir prolongé ressemblait à une période d'instabilité du temps. Les deux mères scrutaient le ciel. Quelle pourrait en être la durée ? Il ne parlait jamais de moi, mais Mme Pons était sûre qu'il attendait un geste.

« Quel geste ? demandai-je. Une lettre de papa ?

— Tu ne peux pas t'attendre à ce que ton père écrive d'autres lettres, raisonna maman. Il faut qu'elle vienne de toi. »

Une fois de plus, je me laissai dicter une lettre à Arnaud par ma mère. Je n'avais aucune idée de ce qu'il fallait dire, ou plutôt de la bonne manière d'exprimer quoi que ce soit. Ma missive prit la forme d'une demande de rendez-vous solennelle, à la convenance d'Arnaud, dans le lieu qu'il choisirait. C'était tout. Je signai de mes noms et prénoms : Sylvie Mireille Castelli. Je n'avais jamais écrit à personne à Rennes. Je ne pouvais pas imaginer la rue où il vivait. Je me demandai s'il habitait chez quelqu'un ou s'il s'était trouvé un appartement. Qui préparait son petit déjeuner, suspendait ses vêtements et changeait les serviettes de toilette à la salle de bains ? Comment allait-il réagir en voyant mon écriture : allait-il brûler la lettre sans l'avoir lue ?

Il attendit dix jours avant de répondre qu'il voulait bien me revoir, en proposant un déjeuner au restaurant. Il pourrait venir à Paris un dimanche et retourner à Rennes le jour même. Cela me parut représenter un exploit d'endurance considérable. En ce temps-là, le train le plus rapide prenait plus de trois heures. Il me donnerait plus de détails dans un proche avenir. L'installation à Rennes l'avait épuisé et il avait besoin d'un congé. C'était signé « A. Pons. » (« Voilà du nouveau », commenta mon père, à propos de l'invitation à déjeuner. Il jugeait prudente, pour ne pas dire angoissée, la relation d'Arnaud à l'argent.)

Il arriva finalement à Paris le troisième dimanche d'octobre, presque un an jour pour jour après notre première rencontre. J'étais intriguée en regardant l'indicateur des chemins de fer, me demandant pourquoi il avait choisi de se lever à l'aube pour prendre un omnibus, alors qu'il y avait un train direct deux heures plus tard. Papa me montra le symbole indiquant un supplément pour l'express. « Et Arnaud... » ajouta-t-il, sans finir sa phrase.

Papa me conduisit à l'ancienne gare Montparnasse, où arrivaient les trains venant de l'ouest. Presque personne ne s'en souvient maintenant : une longue bâtisse grise, avec des planchers à l'intérieur. Je possède une carte postale en noir et blanc qui représente le trottoir le long duquel mon père gara sa Citroën, l'horloge que nous guettions, et la porte que je poussai pour aller rencontrer Arnaud face à face.

Nous arrivâmes en avance et attendîmes assis dans la voiture, nous tenant parfois la main, en écoutant une émission de chansonniers, mais papa en eut vite assez de rire seul et il éteignit la radio. Il fuma quatre Gitanes d'un paquet que le cousin Gaston avait oublié. Quand son briquet flancha, il fit mine de le jeter, pour me faire rire. Je ne voyais rien de drôle à la perte d'un beau briquet en argent, cadeau d'un patient. Cela me paraissait être du gâchis, pas amusant. Je mangeai des chocolats de luxe trouvés dans la boîte à gants, qui devaient appartenir à Mlle Coutard.

Il se penchait sans cesse en avant pour regarder l'horloge de la gare, au cas où sa montre, la mienne et la montre de bord retarderaient. Quand l'heure arriva, il m'embrassa et me fit promettre d'appeler dès que je saurais l'heure du retour d'Arnaud, pour qu'il puisse venir me chercher. Il prononça les noms de deux ou trois restaurants qu'il aimait, en indiquant la direction du boulevard Raspail, des lieux où il m'avait emmenée, qui sentaient le cigare et le Bourgogne rouge. Ils ressemblaient un peu à des buffets de gare, en plus confortable et plus coûteux. Je me vis marchant avec Arnaud le long du boulevard dans l'autre sens, où il y avait une quantité d'endroits plus petits et moins chers. Papa et le cousin Gaston fumaient des Gitanes en souvenir de leurs années d'études. De temps à autre, il leur arrivait bien de retourner dans les restaurants de leur jeunesse, qui sentaient, eux, le bœuf bouilli, les frites et le tabac brun, mais ils connaissaient la différence entre une excursion sentimentale et un bon repas.

Tandis que je m'éloignais, le cœur battant si fort que j'en étais secouée, je l'entendis dire : « Rappelle-toi, quoi qu'il arrive, tu auras toujours un foyer », ce qui était vrai, mais aussi une façon de parler.

La première personne à descendre du train fut une jeune fille avec des roses en plastique accrochées à ses boucles. Elle se précipita dans les bras de deux autres jeunes filles. Elles se ressemblaient toutes les trois, vêtues des mêmes manteaux longs à boutons décoratifs, avec les mêmes cheveux mousseux retenus par des barrettes en plastique. L'une des Parisiennes prit la valise en carton de la voyageuse puis elles s'éloignèrent sans cesser de s'embrasser et de jacasser.

Chantal m'avait prévenue qu'il ne fallait parler à aucun homme dans la gare, même s'il avait l'air comme il faut. Elle avait décrit les pauvres filles qui arrivaient de l'ouest, région très touchée par la crise, pour chercher du travail comme servantes et serveuses, et les malfrats qui attendaient aux portillons sur les quais. Ils ramassaient ces filles et les mettaient sur le trottoir peu après. S'il y en avait une qui ne supportait plus cette vie et tentait de s'enfuir, ils la faisaient assassiner et son cadavre était jeté dans la Seine. Ces crimes n'étaient jamais élucidés : personne n'y attachait d'importance.

A vrai dire, la plupart des hommes que je voyais ressemblaient à des paysans bretons devenus citadins. J'avais un problème, pour l'heure, qui était beaucoup plus urgent que l'éventualité de me faire détourner et pousser à la prostitution. Je n'avais aucune idée de ce que j'allais dire à Arnaud, de comment j'allais briser la glace. Ma mère m'avait conseillé de parler de Rennes si la conversation s'étiolait. Je pouvais faire allusion au grand incendie de 1720 et aux belles maisons qu'il avait détruites.

Arnaud passa à côté de moi, puis revint brusquement en arrière. Il avait sur le bras un imperméable neuf à doublure écossaise ; il portait des gants, et en enleva un pour me serrer la main.

« Je me suis fait couper les cheveux, dis-je.

— C'est ce que je vois. »

Cet échange mit fin à 1720 et à quoi que ce soit d'autre, pour le moment. Nous traversâmes le boulevard du

Montparnasse sans nous toucher, sans dire un mot. Comme je m'y attendais, il prit la direction des restaurants moins chers. Après avoir pris connaissance des menus affichés à l'extérieur et en avoir discuté, il choisit Rougeot. Non seulement Rougeot jouissait d'une longue histoire artistique et sociale, expliqua Arnaud, mais il offrait un menu à prix fixe avec des choix nombreux. Erik Satie y mangeait. Personne n'avait eu idée de la pauvreté de Satie jusqu'à sa mort, quand Cocteau et d'autres avaient été voir son misérable logement en banlieue et avaient appris la vérité. Rilke, lui aussi, avait mangé là. C'était à peu près à l'époque où il découvrait Cézanne et écrivait ces lettres. Je retrouvais la façon qu'avait Arnaud de parler des gens illustres en marquant une pause avant le nom, qu'il prononçait à voix basse.

Les tables en devanture étaient déjà prises. Arnaud fit moins d'histoires que je ne craignais. En fait, je n'étais jamais allée seule au restaurant avec lui : c'est à mon père que je pensais, et à la violence avec laquelle il voulait ce qu'il voulait.

Arnaud refusa de suspendre son manteau. Il l'avait acheté la veille et souhaitait éviter qu'un tas de vêtements sales, pleins de puces, entrent en contact avec lui. Il le posa sur une chaise avec la doublure en dehors et chaque fois que passait un serveur, le manteau tombait par terre.

Je mémorisai le menu pour pouvoir le décrire à maman. Des œufs mayonnaise en hors d'œuvre ; ensuite, nous prîmes du foie. C'était quelque chose que la mère d'Arnaud ne tolérait pas chez elle, m'expliqua-t-il ; en conséquence, son père et lui manquaient de fer en permanence. J'eus envie de lui demander où il prenait ses repas à présent, s'il avait une propriétaire serviable qui lui faisait la cuisine ou s'il devait faire face à des frais de restaurant quotidiens, mais cela me parut trop indiscret.

Le vin rouge, compris dans le menu, arriva dans une carafe épaisse et tachée. Arnaud demanda à voir l'étiquette d'origine : le serveur répondit qu'elle avait été jetée en même temps que la bouteille. Sa voix avait quelque chose de méprisant, comme si nous étions des étrangers, aussi Arnaud détourna-t-il froidement la tête. Les pommes de terre qui accompagnaient le foie avaient été cuites d'avance et réchauffées ; nous le remarquâmes tous les deux. Arnaud dit que cela n'avait pas d'importance ; à cause de l'incident du vin, nous n'allions jamais revenir. Le « nous » impliquait un avenir commun, mais il s'agissait peut-être d'un lapsus. Je fis semblant de ne pas avoir entendu. Je choisis un flan pour le dessert, et Arnaud prit des pruneaux au vin. Nous n'avions plus faim ni l'un ni l'autre, mais le dessert était compris et y renoncer eût été du gaspillage. C'est ce qu'Arnaud laissa entendre.

Je tiens à dire que je ne l'avais jamais trouvé pingre. Il n'était pas venu à Paris me séduire ou m'impressionner ; il était là pour mettre à l'épreuve ses sentiments en me voyant et découvrir si je comprenais ce que signifiait se marier, à lui en particulier. Sa conversation était calme et instructive. Il me parla de « situations », à savoir les complications dont les gens étaient victimes en tant que personnages de roman ou de théâtre. Il compara les pièces d'Henry de Montherlant à celles de Jean Anouilh et leur façon de voir le rôle de jeunes filles innocentes dans la vie d'hommes plus mondains. Pour Anouilh, affirma Arnaud, la jeune fille était une colombe, une âme candide vêtue de blanc, détruite en fin de compte presque accidentellement. Montherlant la voyait ignorante plutôt qu'innocente, plus avertie qu'aucun homme ne pouvait le soupçonner, ignorante et grossière.

Subitement, il fit une remarque personnelle : « Vous ne mangez pas votre dessert.

— Il est parsemé de quelque chose de bizarre, répondis-je : des flocons verts. »

Il prit mon assiette et gratta la surface du flan avec une cuillère. » J'en avais pris une bouchée, puis j'y avais renoncé. « Du persil, constata-t-il. Ils ont fait une erreur à la cuisine ; ils ont pris le flan pour une quiche.

— Je sais qu'il est payé, mais je ne peux pas le manger. »

J'étais au bord des larmes. L'idée me vint que je me conduisais comme Mme Pons. Il se mit à manger le flan lentement, en se servant de ma cuillère. Chaque fois qu'il portait la cuillère à sa bouche, je me disais : « Il doit m'aimer, sinon ce serait dégoûtant. » Quand il eut terminé, il plia sa serviette exactement de la manière qui avait toujours exaspéré ma mère, puis il dit qu'il m'aimait. Oh, pas comme avant, mais suffisamment pour lui permettre de croire qu'il pourrait vivre avec moi. Je n'étais pas tenue de faire des excuses pour le printemps dernier, ni de demander pardon. Comme l'avait dit Cosima à Hans von Bülow, après avoir mis au monde l'enfant de Wagner, ce qu'il fallait, ce n'était pas le pardon, mais simplement la compréhension. (Je savais qui était Wagner, mais le reste me dérouta complètement.)

J'avais lâché étourdiment des paroles innocentes, impulsives, poursuivit Arnaud, et ma mère, une enfant elle-même, s'était comportée comme s'il s'agissait d'une décision réfléchie. Ma mère avait raconté à la sienne l'histoire du pont et du moment critique ; cela aussi, il le comprenait. Il savait tout de l'engouement. A un moment donné, il avait été jusqu'à croire que mon dessin du Vésuve pouvait lui porter bonheur et il l'avait trimballé avec ses documents juridiques dans sa serviette. Telle était l'intensité avec laquelle l'amour le consumait à vingt-six ans. Eh bien, ce genre de tempête et de passion de l'âme était derrière lui. A l'âge de vingt-sept ans, il en avait fini avec les extrêmes. Il rendait ma mère responsable, mais il fallait tenir compte de sa nature infantile ; il tendait à se montrer plus sévère pour Bernard, prononçant ce nom avec désinvolture, comme si « Bernard Brunelle » était un des personnages de théâtre dont il venait de parler. Brunelle était un vulgaire libertin, se jouant des sentiments d'une jeune fille naïve et confiante, pour s'en défaire quand la nouveauté était passée. Lui, Arnaud, était prêt à remettre la pendule à l'heure exacte où elle se trouvait une seconde avant que ma mère ne m'arrache les faire-part des mains et les précipite dans la Seine.

Assises derrière la grande vitre qui donnait sur la terrasse et le boulevard, il y avait les trois jeunes filles à cheveux bouclés que j'avais remarquées à la gare. Elles se versaient mutuellement du vin et se penchaient vers le centre de la table si bien que leurs têtes se touchaient presque. Il flottait une nappe de fumée bleue légère au-dessus d'elles. Une fois mariée, pensai-je, je me mettrai à fumer. Cela m'occupera les mains pendant que les autres parlent et me donnera l'air de me distraire. Une des filles vit que je les regardais et me fit un sourire. C'était un signe de reconnaissance, quoique hésitant en même temps, comme si elle se demandait si je répondrais à son salut. Elle se tourna vers les autres, un peu déçue. Quand je jetai un autre coup d'œil, j'entrevis son profil et je compris pourquoi elle avait paru à la fois familière et peu assurée : c'était la dactylo qu'on voyait assise dans l'antichambre du cousin Gaston et qui avait provoqué chez lui et papa tant d'inquiétude et d'appréhension. Elle avait juste dix-huit ans, dix-neuf au maximum. Comment avaient-ils pu la prendre pour une espionne ? Elle était l'une de trois amies espiègles, originaires de la région la plus pauvre de France.

« Voyez les choses sous cet angle, disait Arnaud. Nous avons traversé des épreuves et des tribulations, comme Tamino et Pamina, dont nous sommes sortis endurcis, fortifiés. » Je dus avoir l'air interdit, car il ajouta : « Dans *la Flûte enchantée*. Nous avons passé un dimanche entier à l'étudier. Je vous ai traduit le livret tout entier, six disques, douze faces.

— Est-ce qu'elle meurt ?

— Non. Si elle devait mourir, nous ne serions pas assis ici. »

Puis, à voix plus basse, il dit qu'il restait une question qu'il avait besoin de poser. Ce n'était pas curiosité méprisable de sa part, mais désir de voir toute la vérité étalée, « comme un drap étendu sur l'herbe verte, séchant au soleil », — voilà l'expression qu'il employa. Ma réponse ne changerait rien : les décisions qu'il avait prises à mon sujet et à celui de notre avenir étaient irrévocables. Il voulait savoir si Bernard Brunelle avait *réussi* et, dans l'affirmative, à quel point ? Étais-je entièrement, partiellement ou pas du tout la même qu'avant ? De nouveau, il prononça le nom de l'inconnu comme s'il s'agissait d'une invention, un nom attribué à une vie fictive.

Il me fallut quelques instants pour comprendre ce dont Arnaud parlait, puis je répondis : « Bernard Brunelle ? Comment, je ne l'ai même jamais embrassé. Je ne l'ai vu que cette unique fois. Il habite Lille. »

Le train qu'il prenait pour rentrer ne partait qu'une heure plus tard. Je lui demandai s'il avait envie de se promener dans Montparnasse et de regarder ces cafés illustres qu'aimait mon père, mais des gouttes de pluie tachaient les trottoirs et je crois qu'il craignait d'exposer son manteau à l'eau. En retraversant le boulevard, il me prit le bras et me confia le peu de goût qu'il avait pour les Bretons et leur façon de penser. Il ne passerait pas toute sa vie à Rennes. Malheureusement, il avait demandé ce transfert et la compagnie avait créé un poste pour lui, en fait. Un certain temps devrait s'écouler avant qu'il puisse dire qu'il avait changé d'avis. En attendant, il viendrait à Paris un week-end sur deux. Je pourrais peut-être aller à Rennes, moi aussi, avec ou sans une amie. Nous avions atteint l'âge de raison et l'on pouvait nous faire confiance. Certaines plages bretonnes étaient agréables, à son avis, mais on ne pouvait jamais se fier au temps. Il préférait la côte basque, où sa mère l'emmenait quand il était petit. Il venait justement d'y passer quatre semaines.

Je n'osai pas lui demander s'il y était allé seul ; de toute façon, il était ici, avec moi. Nous nous assîmes sur un banc dans la gare. Je ne trouvais plus rien à dire. Le grand incendie de 1720 ne me parut pas un sujet de conversation approprié pour quelqu'un qui venait de se déclarer hostile aux Bretons et à leur histoire. J'avais mal à la tête et le silence me convenait très bien.

Je me demandai combien de temps il me faudrait pour le sevrer de l'habitude Pons de boire du vin ordinaire. Il ramassa un journal que quelqu'un avait abandonné et se mit à lire les nouvelles de la veille. Il était encore question du déserteur pacifiste ; des traîtres (c'est ainsi que je les voyais) étaient en train de mettre sur pied un comité de défense. Je songeai aux plages basques, me demandant si elles étaient de sable ou de galets, et si mes enfants pourraient édifier des châteaux.

Bientôt, Arnaud plia le journal, de la même façon soigneuse dont il pliait une serviette de table, et dit que je devrais suivre la suggestion de Chantal et prendre un emploi de jardinière d'enfant. (Ainsi, maman en avait parlé à Mme Pons aussi.) Il faudrait que je travaille jusqu'au moment où j'aurais accumulé assez d'annuités pour avoir droit à une retraite. Lorsque je serais vieille, ce serait une bonne chose que je bénéficie d'un revenu personnel. Tout risquait d'arriver : qu'il meure dans un accident de chemin de fer ou qu'il soit mobilisé. Mon père pouvait facilement être ruiné par un procès et mourir couvert de dettes. L'enseignement offrait des avantages tels que les longues vacances et les réductions sur les billets de chemin de fer.

« Combien de temps faudra-t-il, lui demandai-je, avant de pouvoir cesser d'enseigner et prendre ma retraite ?

— Trente-cinq ans. Je demanderai à ma mère. Elle non plus n'était pas qualifiée, mais elle travaillait dans le privé. Tout ce dont on a besoin, c'est d'être d'un bon milieu et de quelques recommandations. »

Attendez un peu que je raconte cela à papa ! pensai-je. Il avait imaginé n'importe quoi, même qu'elle avait été entretenue par un membre de la famille royale de Roumanie.

Arnaud fit alors une déclaration étrange : « Vous auriez l'été entier pour vous consacrer à l'art. Je n'y ferais jamais obstacle. A la vérité, je ferais tout pour vous y aider. Je m'occuperais des enfants, je vous en débarrasserais. »

En ce temps-là, les hommes ne s'occupaient pas des enfants. De ma vie, je n'avais vu des hommes mariés porter un enfant si ce n'est pour monter dans un train ou regarder un défilé. J'étais heureuse que mon père ne l'ait pas entendu. Je crois que je fus choquée, qu'Arnaud baissa d'un cran dans mon estime. Ce qui était plus important, c'est que je n'avais touché ni pinceau ni crayon depuis le jour où ma mère avait lu la lettre de Bernard, celle qui comptait. Peut-être que si je ne peignais ni ne dessinais, si je ne me tachais pas les mains ni les vêtements, Arnaud serait déçu. Peut-être que, comme maman, il voulait pouvoir dire que tout ce qui était accroché au mur était mon œuvre. Ce qu'il avait dit de son intention de ne jamais faire obstacle à mon art était singulier, certainement, mais gentil, également.

Nous nous levâmes ; il secoua et plia son manteau, en serrant le journal sous son bras. Il tira ses gants de sa poche, puis prit une décision en silence et les remit. Il me tendit le journal, mais changea d'avis : il allait faire les mots croisés dans le train. D'ici la fin de la journée, pensai-je, il aura passé huit heures en voyage et manqué un concert du dimanche après-midi à cause de moi. Il commença à me dire au revoir dès le portillon, mais je voulais le voir monter dans le train. Il fallait avoir un ticket de quai : il hésita jusqu'à ce que je propose de l'acheter moi-même, et alors c'est lui qui me l'acheta.

Debout sur le marchepied du train, il se pencha pour m'embrasser la joue.

« Dois-je les laisser repousser ? ai-je demandé.

— Quoi ?

— Mes cheveux. Est-ce que vous les aimez longs ou courts ? »

Il fut incapable de répondre et parut trouver la question saugrenue. Je longeai le quai et le vis entrer dans son compartiment. Une discussion s'ensuivit avec une dame à propos de la place côté fenêtre. Il ne prendrait jamais de force ni ne désirerait indûment quelque chose, mais ferait toujours valoir ses droits quand ils existaient. Il s'assit à la place qui lui revenait après avoir montré sa réservation et déplia le journal pour retrouver les mots croisés. J'attendis jusqu'à ce que le train sorte de la gare. Il ne regarda pas à l'extérieur : pour lui, j'étais sur le chemin du retour.

Je n'avais pas d'idée précise sur ce que je devais faire

ensuite, mais une chose était certaine, je n'appellerais pas mon père. Arnaud n'avait pas non plus appelé sa famille. Nous nous étions comportés en vrai couple dans une ville inconnue où nous n'avions d'autres connaissances que nous-mêmes. Depuis l'instant de son arrivée jusqu'à maintenant, nous n'avions pas été séparés, pas un seul instant. Je décidai de rentrer à pied. Le trajet était long, en grande partie en pente, une fois que j'aurais traversé la Seine, mais je serais en route, comme Arnaud était en route dans le train. J'allais l'accompagner pendant une partie au moins de son voyage.

Je me mis à marcher sous une bruine légère, peu humide, le long du boulevard, à côté des arbres d'automne. Les nuages gris avaient l'air sculptés, les phares des voitures anormalement éclatants. Je me trouvais sur une plage de sable, quelque part sur la côte basque. Mes cheveux étaient retenus par un ruban rouge qui les empêchait de me tomber sur la figure. J'étais assise à l'ombre d'un parasol blanc, sur une serviette éponge rayée. J'avais les genoux levés pour soutenir mon carnet de croquis. Je courbais la tête et je dessinais mes enfants qui creusaient des trous dans le sable. Ils étaient coiffés de chapeaux blancs; leurs bras et leurs jambes étaient hâlés.

Quand j'atteignis les Invalides, la pluie avait cessé. Au lieu de rentrer par le plus court chemin, j'avais fait un grand détour par l'ouest. Les lumières brillaient plus fort que jamais à la nuit tombante. Des rayures jaunes marbraient le bas du ciel. Je contournai le square et vis, assis sur des bancs humides, des anciens combattants, survivants des guerres que se remémoraient chaleureusement le cousin Gaston et papa. Ils habitaient l'hôpital des vétérans à proximité et n'avaient rien d'autre à faire.

Je tournai un coin et me dirigeai vers la Seine, à pas lents. Il me restait encore une distance considérable à couvrir, mais je trouvais injuste de rentrer chez moi avant Arnaud, c'est pourquoi j'avais pris un chemin si détourné. Que mes parents pensent ce qu'ils voudraient : qu'il avait pris un train plus tardif, que je m'étais fait tremper en cherchant un taxi. Je ne raconterais jamais à personne comment j'avais voyagé avec Arnaud, pas même à lui. C'était un petit secret insignifiant, mais il appartenait à la vraie vie qui était presque prête à m'ouvrir la porte. C'est ce qu'elle a fait et, oui, elle m'a rendue heureuse.

Forain

Environ une heure avant le service funèbre à la mémoire d'Adam Tremski, une neige mêlée de pluie se mit à tomber et lorsqu'arrivèrent les premières personnes qui venaient assister à la cérémonie, les marches de pierre devant l'église étaient dangereusement mouillées. Blaise Forain, l'éditeur français de Tremski, à présent son exécuteur littéraire, ne s'étonna pas par la suite quand une vieille dame glissa et qu'il fallut l'emmener à l'Hôtel-Dieu. Tentant de faire prévaloir un ordre cartésien sur la frénésie slave, il fit venir une ambulance et se vit obligé d'accompagner l'accidentée aux urgences et de verser un acompte sur les frais. La dame n'avait pas de sécurité sociale.

Vus dans leur ensemble, la façade et les marches formaient un escarpement, menaçant, abrupt et par-dessus tout inconnu. Les amis qui avaient entouré Tremski ces dernières années étaient polonais, juifs, rarement français. Parmi les Français, seul Forain était accoutumé à la diversité des rites funèbres. Il était tenu d'assister aux obsèques non seulement de ses auteurs mais également de leurs épouses. Il connaissait toutes les églises polonaises de Paris, la mission hongroise, les synagogues de la rue Copernic et de la rue de la Victoire, ainsi que la pseudo-chapelle du crématoire dans le cimetière du Père Lachaise. Les incroyants se contentaient de quelques mots devant la tombe. Leurs amis, en guise de salutation, disaient : « Encore un de parti. » Cependant, aucun enterrement d'une de leurs connaissances n'avait jamais eu lieu dans cette église particulière. On disait que cette paroisse était la plus ancienne de la ville, mais la construction édifiée sur le site antique avait un aspect rébarbatif et froid.

Pendant une quarantaine d'années, Tremski avait occupé le même appartement dans un immeuble sans ascenseur à la lisière de Montparnasse. Que faisait-il ici, du mauvais côté de la Seine ?

Quatre mois auparavant, Forain avait assisté à l'absoute de Barbara, la femme de Tremski, à l'église polonaise de la rue Saint-Honoré. A vrai dire, c'était une chapelle, ronde, sans bancs fixes, seulement des rangées de chaises rassemblées. Le dôme était une erreur — trop imposant pour cette construction écrasée —, mais il y avait des siècles qu'il était en place et seuls les grands angoissés pouvaient le trouver menaçant.

Ici, Forain l'avait remarqué, les larmes coulaient facilement, pas seulement pour l'amie perdue, mais pour tous les liens rompus, pour les voyages auxquels on les avait contraints jadis. C'est-à-dire, les larmes des inconnus qui l'entouraient : le chagrin, lorsqu'il l'atteignit, était pâle et sec. Il avait trente-huit ans, il était divorcé ; sa fille de douze ans vivait à Nice avec sa mère et l'amant de la mère. Seulement un ou deux des amis de Forain avaient rencontré la petite. La plupart des gens, quand ils l'apprenaient, avaient peine à croire qu'il avait jamais été marié.

L'office pour la femme de Tremski avait été perturbé par sa fille à elle, de son premier mariage, qui, de manière ostensible, était arrivée en retard, s'était agenouillée seule dans l'allée centrale, avait embrassé le poêle de velours sur le cercueil et effectué une sortie bruyante d'un pas martial.

Elle s'appelait Halina. Elle avait des cheveux raides, grisonnants, un visage revêche, des yeux rapprochés. Forain savait que dans l'assistance, certains, parmi les plus âgés, se souvenaient d'elle comme d'une jolie enfant, peu souriante, pas très intelligente. Il y en avait peut-être quelques-uns qui pensaient que Tremski en était le père, et se demandaient s'il avait été dur avec sa femme. Il se peut que Tremski, assis, la tête baissée, n'ait rien remarqué. En tout cas, il n'en a jamais parlé.

Tremski était juif. Sa femme avait été élevée dans la religion catholique, mais personne ne savait ce qui s'en était suivi. Pour parler clair, y était-elle restée fidèle ou pas ? Ce qui est certain, c'est qu'elle avait eu une liaison — si l'on tenait à être explicite — avec Tremski, jusqu'à ce que son mari ait rendu service à ce couple en mourant. Il n'avait jamais été question de divorce ; elle ne l'avait probablement jamais demandé.

Pour son mariage, Tremski avait acheté un costume bleu marine de chez le bon faiseur, Creed ou Lanvin Hommes, qu'il portait pour les obsèques de Barbara, et avec lequel il serait enterré. Il n'en avait jamais possédé d'autre ; il se traînait dans tout Paris en donnant l'impression qu'il dormait sous des tables de restaurant, couché sur les cendres de cigarette et les miettes. Il aurait fallu une équipe de femmes dévouées, pas l'épouse unique, pour lui garder l'air soigné.

C'est par ouï-dire que Forain avait été informé du mariage dans une mairie parisienne (à l'époque, on n'avait pas encore traduit Tremski, qui travaillait dans une librairie près du jardin des Plantes et avait mis onze mois à rembourser l'acompte sur le costume bleu marine), des signatures sur le registre, du refus d'être présente opposé par la fille, du vin bu avec des amis dans un bistrot de l'avenue du Maine. C'était un endroit lugubre, mais Tremski connaissait le patron. Il avait parlé de donner une fête, mais n'y était jamais arrivé : son appartement était trop petit. Maintenant, d'un jour à l'autre, il allait emménager dans des locaux plus vastes et convier deux cent cinquante amis intimes à un banquet.

En attendant, il restait attaché à son appartement loué, logement typique d'émigré des années cinquante, aujourd'hui en passe de devenir une curiosité : deux pièces sur cour, cuisine sans fenêtre, planchers raboteux, salle de bains sans chauffage, point d'ascenseur, propriétaire intimidant : ce personnage figurait au cœur de ses anecdotes comiques et de ses soucis intimes. Qu'en pensait sa femme ? Personne ne le savait, mais s'il avait envoyé deux cent cinquante invitations, elle se serait certainement mise à l'œuvre pour emprunter deux cent cinquante verres et assiettes. Même lorsque Tremski avait eu les moyens de changer de domicile, il était resté ancré dans ses pièces miteuses : il y avait tous ces livres, les boîtes pleines de courrier resté sans réponse, et les documents importants qu'il n'autorisait personne à classer. Des instantanés et des portraits de groupe de romanciers et de poètes, dont les vêtements et les coupes de cheveux étaient caractéristiques des années cinquante et soixante, occupaient en grande partie un mur. Un désir neuf de faire le tri du passé, de mettre de l'ordre dans ses créations, avait occupé la conversation de Tremski le jour de son mariage. Ses amis n'avaient pas tardé à s'ennuyer, mais sa femme semblait l'écouter. Tremski, enfin marié, était lancé sur un objectif, prêchant le besoin de discipline et d'un avenir bien étudié. Cela ne devait pas durer.

Le jour où Forain avait rencontré Barbara, ils avaient

bu du thé âcre dans des tasses dépareillées et s'étaient jaugés mutuellement dans la lumière grise qui filtrait de la cour. Elle l'avait interrogé doucement sur son aptitude à traduire et publier Tremski, qui travaillait encore dans la librairie, à vendre des mémoires de guerre et des livres de poche, à préparer des colis. Forain avait-il des liens étroits avec le comité du prix Nobel ? Combien de ses auteurs avaient-ils reçu des récompenses importantes, avaient-ils atteint la renommée internationale ? Elle était chaleureuse et amicale ; elle lui faisait penser à un grand bouton d'or.

Il devait avoir à peu près l'âge de sa fille Halina, dit Barbara. Il se sentait paternel, sage, libéré d'idéaux erronés. Il allait devenir le guide et le père de Tremski. Voilà le genre de femme que j'aurais dû épouser, songea-t-il, bien qu'il n'eût probablement jamais dû épouser personne.

Seules quelques-unes des personnes qui montaient les marches traîtresses pour assister à l'enterrement purent avoir une pensée pour la vie privée de Tremski. L'histoire de sa femme, abandonnant un mari courageux et honnête en traînant par la main une fillette de trois ans appartenait au folklore, pas à l'histoire, de l'émigration à mi-siècle. La chronique de deux générations déplacées, spoliées, s'était interrompue. Son évaluation pouvait commencer, avait déjà débuté. Des intellectuels, d'une jeunesse désarmante d'aspect, qui parlaient la même langue mais dont le vocabulaire était d'une nouveauté discordante, cheminaient jusqu'aux capitales occidentales, où ils enregistraient leurs souvenirs au magnétophone, copiaient de vieilles lettres. L'histoire se révélait être une science à la traîne : c'était l'exactitude aléatoire d'une mémoire comme celle de Tremski que privilégiaient à présent la plupart des émigrés. En fin de compte, c'était toujours un poème qui venait à l'esprit, pas une série de dates.

Il se peut que certains se soient demandés pourquoi Tremski avait droit à un office chrétien, ou, pour appliquer un autre raisonnement, il le lui avait été infligé. Compte tenu de ses conceptions flottantes de l'éternité et de la vie après la mort, on aurait pu se contenter d'une simple réunion amicale avec des interventions d'admirateurs, la lecture à voix haute d'un ou deux poèmes, un prêtre en pull-over à col roulé ou un jeune rabbin qui aurait du goût pour la littérature. Ou bien un de chaque, faisant des prières, rendant des hommages, tour à tour. Tremski n'avait rien à redire aux prières. Il avait passé la moitié de sa vie à en composer.

L'église escarpée s'avéra être moins sévère qu'il ne paraissait depuis la rue. Elle était aux mains d'un petit ordre charismatique, assez exalté peut-être mais en aucune mesure schismatique. Personne ne s'était donné la peine de demander si Tremski était vraiment converti ou si c'était simplement un écrivain qui en donnait parfois l'impression. Sa famille se réduisait à sa belle-fille. Elle s'était arrangée à sa convenance : elle habitait une rue voisine, encore récemment considérée comme misérable, maintenant réhabilitée et hautement prisée. Entre son appartement XVIIe et le site vénérable se trouvait un grand magasin, commode, encombré, où au fil des années, les amis de Tremski avaient acheté pots de peinture, rouleaux, robuste vaisselle, serrures de sûreté, cardigans résistants. Le magasin leur était plus familier que l'église. La belle-fille leur était inconnue.

Elle était aussi l'héritière de Tremski et ne comprenait pas le rôle de Forain, pensant qu'un exécuteur occupait une fonction honoraire, comme un parrain du défunt. Elle avait dit à Forain que Tremski avait détruit son père et gâché son enfance. Il avait asservi sa mère, parlé polonais bruyamment dans les restaurants, avait tenté d'empêcher Halina de se faire une identité sociale française. S'étant trouvée responsable, en exécution de son étrange testament, de l'organisation d'obsèques appropriées, elle avait choisi des adieux français, suivis de l'inhumation dans un cimetière polonais en dehors de Paris. A cause du mauvais temps et faute de voitures, on avait dispensé les amis d'assister à l'inhumation. La plupart d'entre eux en étaient reconnaissants : plus d'un rhume mortel avait été la conséquence d'une station debout prolongée dans la boue glacée d'un cimetière. Quand elle s'était plainte qu'elle faisait de son mieux, que Tremski n'avait jamais fait connaître de souhaits, elle disait probablement la vérité. Il était capable de prétendre une chose et son contraire dans la même phrase. Dieu seul pouvait le suivre. Si le rite célébré aujourd'hui représentait une erreur cosmique, décida Forain, c'était à Lui d'effacer le nom de Tremski du grand livre et de l'inscrire dans la colonne qui convenait. S'Il s'en souciait.

Les gens montaient lentement les marches devant l'église. Certains y étaient aidés par des parents plus jeunes qui avaient pris un congé. Quelques-uns d'entre eux, qui avaient migré vers des tours en grande banlieue, vers une solitude plus grande, mais de plus faibles loyers, étaient partis de chez eux de bonne heure, comme s'ils étaient encore persuadés qu'aucune journée ne pouvait commencer sans eux. Après un long trajet souterrain et une correspondance compliquée, ils avaient émergé de la station Hôtel-de-Ville. Ils tenaient leurs parapluies à l'oblique, comme s'ils se heurtaient à quelque force de la nature qui les prenait de front. En fait, il n'y avait pas le moindre souffle d'air, bien qu'on ait annoncé des vents forts et de la neige fondue. La neige et la pluie se déposaient sur le sol en une maigre couche de gadoue.

Forain se tenait juste derrière le portail, où il recevait des condoléances murmurées et des poignées de main. Il n'usurpait pas la place d'un membre de la famille mais tentait de pallier l'absence d'Halina. Elle allait peut-être entrer en trombe, comme lors de l'enterrement de sa mère, pour assouvir quelque rancœur personnelle. Il portait un long pardessus en cachemire, son unique vêtement noir. Un ami le lui avait légué. Plus précisément, cet ami, étant averti de sa mort prochaine, lui avait dit de passer le prendre chez le tailleur. Il avait été essayé, terminé, payé, jamais porté. Forain savait qu'une plaisanterie malveillante courait, moquant le fait qu'il portait le vêtement d'un mort. Elle s'appliquait aussi à sa vie professionnelle : il aurait dit préférer puiser dans le catalogue général de n'importe quel auteur disparu plutôt que connaître des rapports crispés et tendus avec un écrivain vivant.

Il s'aperçut que ses cheveux et ses chaussures étaient humides. La main qu'il tendait devait glacer toutes celles qu'il touchait. Il se trouvait carrément sur le parcours d'un de ces courants d'air propres aux églises, qui se muent en vents violents à proximité d'une porte. Il se demandait si c'était en raison de quelques propos fermes qu'il avait tenus la veille, en défendant Tremski contre l'accusation de crier dans les restaurants, qu'Halina avait été dissuadée de venir, ou avait même décidé qu'elle manquerait de dignité en feignant d'attacher la moindre importance à la façon dont on expédiait Tremski, mais elle arriva à la dernière minute, avec son mari français, journaliste, spécialiste de politique intérieure dans un hebdomadaire, et sa fille, âgée de quatorze ans, en jaquette et jean. Ces deux-là avaient été dans l'impossibilité de lire un traître mot de l'œuvre de Tremski jusqu'à ce que Forain publie la traduction d'un de ses romans environ six ans auparavant. Tremski était convaincu qu'ils ne l'avaient jamais même regardé — pour être juste, la fille n'avait que huit ans à l'époque — ni aucun des livres qui l'avaient suivi, bien que la fille conservât les critiques qu'elle découpait. Tremski s'étonnait que des gens instruits, voyageurs, relativement cultivés, puissent vivre des vies acceptables sans avoir envie de savoir ce qui s'était passé en d'autres temps, en d'autres lieux. Même le mari, le journaliste politique, était de cette sorte : quelques noms, une date cherchée dans un ouvrage de référence, de vagues notions de géographie lui suffisaient.

Forain se rendait compte que Tremski en souffrait. Il avait souhaité qu'il y eût au moins une raison pour qu'Halina pense du bien de lui, à savoir l'œuvre de sa vie. Elle était la fille d'un ex-officier de l'armée, mort, comme Barbara, comme Tremski, dans une ville étrangère. Elle se voyait, tout autant que son père, victime d'une aventure égoïste. Elle pensait également être d'une essence supérieure à celle de Tremski, par l'extraction et la situation sociale, ce qui était plus difficile à accepter. De l'avis de Tremski, les comparaisons n'offraient pas matière à discussion.

Pour le moment, ils se tenaient bien tous les trois. Forain n'en attendait pas plus, de personne. Il avait cessé de prendre la mesure du comportement social, sauf quand il suivait son cours sous forme de fiction. Sa maison d'édition s'était spécialisée dans la traduction de textes venant d'Europe de l'Est et d'Europe centrale : cela lui permettait d'avoir du recul.

Halina semblait plus modérée maintenant : elle le remercia même de l'avoir remplacée en accueillant tous ces inconnus. Elle avait une histoire à raconter pour expliquer son retard, mais elle était tirée par les cheveux et Forain l'oublia sur-le-champ. La cause la plus vraisemblable avait dû être une discussion à tout casser à propos de la jaquette et du jean. Halina était une batailleuse froide, de peu d'envergure, mais stricte quant aux principes. Elle portait un manteau en cuir garni de fourrure, un chapeau gris pâle à bord relevé et un foulard : Hermès authentique ? Faux de Taiwan ? Forain l'aurait su en palpant la soie, mais c'était une idée absurde et il se tint à distance.

La fille avait quelque chose de Barbara ; pour cette raison, Forain lui trouva du charme. Blaise devrait prendre place avec la famille, proposa-t-elle, l'appelant par son prénom comme le font les jeunes aujourd'hui. On avait réservé le premier banc pour eux trois seulement. Il restait beaucoup de place. Forain se dit qu'Halina allait peut-être se mettre à discutailler en chuchotant, à portée de voix (si l'on peut dire) du mort. Il accepta, ce qui était plus facile que de refuser, et décida que non. Il les laissa à la porte, pour accueillir les retardataires, et se trouva une place en bout de banc, à la moitié de l'allée centrale. Si Halina faisait une allusion quelconque par la suite, il expliquerait qu'il avait craint d'être obligé de partir avant la fin. Elle le dépassa sans le remarquer et, une fois assise, ne se retourna pas.

Le chapeau pâle avait appartenu à la mère d'Halina. Forain s'en souvenait nettement. Quand sa femme était morte, Tremski avait permis à Halina et à son mari d'écumer l'appartement. Elle avait fait plusieurs voyages pendant que lui attendait en bas. Il n'était monté que pour l'aider à porter une caisse de papiers qui appartenaient à Tremski. Elle contenait, entre autres documents, dont une partie sans intérêt, un certain nombre de manuscrits inachevés. Depuis l'enterrement de Barbara, Tremski ne s'était pas donné la peine de se raser, ni même de mettre son dentier. Il restait prostré dans la pièce qu'elle avait utilisée autrefois, vêtu d'une robe de chambre déchirée aux coudes. L'armoire de Barbara était vide, la porte ouverte, avec seulement quelques cintres pendus à l'intérieur. Il avait agrippé Forain par la manche et lui avait dit qu'Halina avait emporté des choses lui appartenant, à lui, Tremski. Dès qu'elle se rendrait compte de son erreur, elle allait les rapporter.

Forain aurait préféré traverser la Seine à cheval en cravachant tous ceux qui ressemblaient à Halina ou à son mari, mais il avait pris un taxi pour aller chez elle, passant devant le grand magasin vieillot, rassurant, inchangé. Sans prévenir, sans téléphoner ; il avait monté un escalier tournant en pierre, fraîchement sablé et lavé à la brosse, puis il avait appuyé en continu sur la sonnette jusqu'à ce que quelqu'un vienne répondre en courant.

Elle lui avait permis d'entrer, pas très loin.

« On ne peut pas faire confiance à Adam pour s'occuper de ses affaires, déclara-t-elle. Il a toujours été négligent et sale, mais maintenant ça sent la crasse chez lui. Avez-vous regardé la table de la cuisine ? Il doit toujours manger dans la même assiette. Quant aux lettres de ma mère, si c'est ça que vous cherchez, il avait déjà commencé à les déchirer.

— En avez-vous conservé ?

— Elles m'appartiennent personnellement. »

Comme elle ressemblait à un furet à cet instant-là, elle qui était la fille de parents si beaux ! Un portrait photographique de son père, l'officier polonais, fait à Londres, le montrant en civil, fumant une longue cigarette, était posé sur une table dans l'entrée. C'était la limite au-delà de laquelle Forain n'avait pas eu le droit d'avancer. Il s'était imprégné des traits de cet homme qui avait fait une guerre pour rien. Barbara avait déserté ce visage calme, distingué, un rien prudent, pour Tremski, à qui elle avait dû forcer la main, arrivant devant sa porte avec baluchon et enfant. Lui n'avait jamais pris de décision sur quoi que ce soit de toute sa vie.

Forain avait récupéré jusqu'au dernier bout de papier, bien sûr, tout sauf les lettres. Lorsqu'un mélange de devoir et d'intérêt personnel l'aiguillonnait, il était imbattable. Halina n'était soutenue par rien si ce n'est le désir de reprendre sa mère, d'éliminer l'influence de Tremski, la restituer, ne serait-ce que par l'intermédiaire de ses chaussures, ses corsages et ses jupes, à l'homme patient et vaincu, à la cigarette pétrifiée. Ce qui lui revenait paraissait également comprendre une part de Tremski, mais elle l'avait mal accepté, ce qui lui donnait une moins bonne prise.

En rejouant chaque coup, Forain s'était rendu compte des arguments solides dont elle aurait pu disposer si elle avait admis que sa mère choisisse Tremski. En le refusant, elle était devenue, avait failli devenir — Forain l'en avait dissuadée à temps — défenderesse dans un genre de litige minable.

Les amis de Tremski étaient assis avec les pieds dans des flaques. Ils avaient gardé leurs gants et serré les écharpes tricotées autour de leurs cous. Certains d'entre eux avaient passé toutes ces années en France sans sécurité sociale ni assurance-maladie, faute de moyens ou parce qu'ils n'étaient jamais retombés sur leurs pieds en trouvant un emploi à leur mesure. Ils croyaient peut-être qu'une longue vie payait en elle-même intégralement la protection dans le grand âge. Que la fin s'avère coûteuse et prolongée, alors, s'il vous plaît, permettez-nous de rêver et de flotter dans l'obscurité la plus épaisse, la plus profonde, inconscients de tout le dérangement et de la paperasserie que nous occasionnons.

Tel, devina Forain, était le contenu de leurs prières.

Maintenant, les enterrements arrivaient en rangs serrés, surtout par les hivers bronchitiques. L'un des souvenirs les plus anciens de Forain était de la messe en latin, mais il ne pouvait pas dire qu'elle lui manquait : il associait le latin au petit matin à jeun, et au fait de rester immobile. Le mouvement charismatique semblait avoir remplacé l'incompréhension et le mystère par le spectacle. Forain observait les cinq prêtres en grande tenue, assis à droite de l'autel. L'un d'eux avait un mauvais rhume et sortait sans cesse un mouchoir de sa manche. Un autre regarda sa montre plus d'une fois. Une chorale, cachée ou sur bande, chanta « Jesu, bleibet meine Freude », après quoi une voix suave et professionnelle commença de réciter le psaume vingt-quatre. La voix paraissait émaner du cercueil, mais l'accent français en était trop parfait pour être celui de Tremski. Au milieu du septième verset, juste après « Ne vous souvenez point des fautes de ma jeunesse », la voix du récitant chevrota et s'interrompit. Un homme assis devant Forain s'avança dans l'allée d'un air solennel et pompeux. Le cercueil, posé sur des tréteaux, était drapé de violet et de blanc, enfoui sous des monceaux de roses, de tulipes et de chrysanthèmes. L'homme se faufila à côté, ramassa une boîte noire par terre et appuya sur deux boutons. « Jesu » redémarra depuis le début. En regagnant sa place, l'inconnu lança un regard furieux à Forain, comme si c'était lui le responsable de l'incident.

Forain savait que certains des amis de Tremski n'avaient pas confiance en lui. Il avait la réputation de ne pas payer leur dû aux auteurs. Certains écrivains se plaignaient de n'avoir jamais reçu la valeur d'un timbre-poste ; ils ne comprenaient rien à ses relevés de compte élégants, manuscrits. En fait, Tremski avait représenté l'exception. Forain avait établi ses droits étrangers, quand ils avaient commencé à rentrer, sur une base de moitié-moitié. Tremski voyait l'argent comme une denrée utile qui couvrait les frais du loyer et des cigarettes. Sa femme n'en avait pas la même conception.

Son index au bas d'une colonne de chiffres, sa voix calme et séduisante disant : « Blaise, qu'est-ce que c'est que ça ? » appelait une réponse bien pesée.

Elle n'avait jamais pris la peine de se rendre dans le bureau de Forain, mais elle lui demandait de l'emmener prendre le thé chez Angelina, rue de Rivoli. Une fois qu'elle avait mangé sa tarte aux fraises et que l'assiette avait été enlevée, elle sortait de son sac à main le relevé plié, annoté. Dépassé, surclassé, glissant l'addition du salon de thé dans son portefeuille pour qu'elle se fonde dans les frais généraux, il jetait un coup d'œil circulaire et en retirait au moins une satisfaction : Barbara était encore la plus belle des femmes présentes, quel que fût leur âge. Il n'avait pas été pris en défaut par quelqu'un d'aspect ou de qualité médiocres.

Plus il se sentait harassé par les problèmes majeurs, plus il donnait de l'importance aux petites compensations. Il gérait sa maison avec une équipe de femmes loyales, épuisées, qui lui étaient attachées par leur foi dans ses réalisations, ou par quelque lien personnel caduc, ou parce qu'il était trop tard et qu'elles n'avaient nulle part où aller. Ce matin à huit heures, le jour de l'enterrement, sa fidèle Lisette, à ses côtés dès le départ de l'entreprise, l'avait appelé pour lui dire qu'elle avait un nombre suffisant de points de sécurité sociale pour avoir droit à la retraite. Il se représentait les points comme des pâtés sur une page blanche. Tout ce qu'il avait trouvé à répondre, c'était qu'elle n'allait pas tarder à s'ennuyer si elle n'avait plus de raison de se lever chaque jour. Lisette avait répondu, sans manquer de courtoisie, qu'elle comptait passer au lit les dix années à venir. Il ne pouvait même pas la persuader de rester en augmentant son salaire : en dehors de la réserve de capital exigée par la loi, il n'avait presque pas de ressources et devait racler les fonds de tiroir pour payer la pension mensuelle de sa fille ; il se trouvait constamment devoir de l'argent aux imprimeurs et aux banques.

On le décrivait souvent dans la profession comme pauvre mais désintéressé. Il avait rendu un service immense à la culture mondiale en faisant venir en Occident des voix qui étaient étouffées depuis des décennies à l'Est. Eh bien, naturellement, sa firme minuscule n'avait pas été à même d'attirer les prophètes colossaux, les romanciers en plein essor, les grands maîtres à penser et les inlassables définisseurs. Tremski se situait à l'extrême limite des moyens financiers de Forain, ce brave Tremski qui lui était resté fidèle même lorsqu'il aurait pu viser plus haut.

Le bon sens avait retenu Forain de pressentir les oracles qui arrivaient juste après, de deuxième catégorie, diserts et séduisants, subventionnés jusqu'au cou, fumant cigarette sur cigarette, explicitant, parcourant encore les universités et les congrès de l'Occident. Les exigences qu'ils formulaient pour leur séjour dépassaient ce qu'il pouvait se permettre : aucun subside ne pourrait financer le séjour dans le petit hôtel sur la rive gauche, extérieurement sans prétentions mais ruineux, les après-midi et soirées prolongées dans des bars à fauteuils de cuir où les visiteurs espéraient rencontrer des gens intelligents et cultivés pour échanger des idées.

Le modeste troupeau de Forain, par contraste, semblait être venu au monde sans rien en attendre. Mis à part la rare doléance humble, de temps à autre, ils se contentaient d'un hébergement au dernier étage d'un hôtel à l'escalier raide et mal entretenu, riche en souvenirs littéraires, avec une baignoire par étage. Pour se détendre, ils allaient au café d'en face, faisaient durer deux heures et demie un pot d'eau chaude et un sachet de thé, et, suivant les conseils de Forain, regardaient flâner l'économie de marché.

Dociles, n'accordant à leurs dons qu'une valeur modérée, ils représentaient toutefois un handicap : leurs noms, comme ceux de leurs personnages, se ressemblaient tous pour les oreilles occidentales barbares. Il avait fallu à Forain une persévérance à toute épreuve pour attirer l'attention sur leurs livres. Il voulait que chacune des œuvres qu'il publiait survive dans la mémoire collective, même lorsque le papier sur lequel ils avaient été imprimés avait été mis au pilon, brûlé dans les vastes incinérateurs de la Ville ou se décomposait au fond de la Seine.

Saison après saison, l'estomac rongé d'angoisse, les battements de son cœur disant « gloire, gloire, gloire », il sortait une nouvelle satirique qui se passait à Odessa, un journal intime dense et sobre, traduit du roumain, que son auteur et ses amis étaient le mieux à même de comprendre, ou bien un nouveau regard sardonique sur les aberrations de ceux qui avaient marqué l'histoire. (Il y avait peu de femmes. Dans cette partie précise de l'Europe, elles paraissaient figurer en tant que maîtresses brusques et coquettes, ou comme épouses résignées.) Une fois par an, au moins, il risquait le quasi-suicide que représentaient les nouvelles et la poésie.

Il était parfois récompensé, mais jamais financièrement.

Certains critiques pensaient pouvoir faire de temps à autre un coup sûr en parlant d'un livre qu'il leur avait adressé : on le jugeait sérieux, dans un domaine que personne ne connaissait bien, et trop besogneux pour promouvoir un désastre absolu. A tout moment, quelqu'un de ses poulains nouveau-nés, tendre et titubant, pouvait devenir un pur-sang littéraire. En conséquence, il n'était pas rare qu'un de ses écrivains reçoive une liasse de coupures minuscules, parfois même illustrées d'une photographie miniature, prise sur la place de la Bastille dans un tourbillon de voitures. Une brassée de gros billets n'aurait pas fait de mal, non plus, mais seule la femme de Tremski exigeait les deux.

L'argent ! L'opinion de Forain était identique à celle de n'importe quel poète s'évertuant à se faire lire en traduction. Il ne le disait jamais. La raison sociale, Blaise Éditions, tintait d'un son intègre dans les sphères où le commerce et la littérature sont censés n'avoir aucun rapport. Quand le ministre de la Culture l'avait décoré, peu de temps auparavant, évoquant en termes encourageants le bénéfice que la Maison Europe avait retiré du travail de Forain, celui-ci s'était efforcé d'avoir l'air modeste mais indispensable. En cet instant, il avait eu le sentiment que sa réputation d'abnégation constituait un monument qui le clouait au sol. Il eut envie de crier « au secours ! » Au ministre ? Cela aurait fait une impression déplorable. Il se sentait honoré mais déconcerté.

Une autre fois, invité dans l'ambassade rénovée d'une des nouvelles démocraties, accueilli par l'ambassadeur et un attaché culturel fraîchement arrivé (le personnel administratif était inchangé), Forain avait osé se dire : « «Pourquoi ne me donnent-ils pas un chèque pour le prix de tout ceci ? » — le champagne, le buffet raffiné, la médaille dans un coffret garni de velours —, tout en espérant que ses pensées ne se lisaient pas sur son visage.

La vérité, c'est que la destruction du Mur — paradigme rayonnant — avait pratiquement démoli Forain, avec cette différence qu'on ne pourrait pas le réduire en fragments encore plus petits pour le vendre dans le monde entier. D'une façon très similaire, Vatican II avait conduit à la faillite plus d'un éditeur de livres de messe en latin. Un ou deux d'entre eux avaient essayé de récupérer leurs pertes en refilant les missels obsolètes à des congrégations d'Asie et d'Afrique, mais quand le

Tiers Monde avait entrepris de se faire rembourser, les éditeurs avaient déjà sombré corps et biens. De façon fugitive, Forain avait envisagé la possibilité de décharger sur des lecteurs du Sénégal et du Cameroun le tirage entier d'une étude subtile et allusive de la corruption à Minsk en 1973. Était-il encore possible de le faire admettre, d'en faire supporter le coût à la coopération culturelle ? La réponse était non, avait-il pensé. Pas après novembre 1989.

Les histoires où l'incohérence socialiste n'avait d'égal que l'inconséquence occidentale avaient disparu. Disparu, s'entend, du programme éditorial de Forain, car son troupeau continuait à les livrer. Il avait donné des instructions à ses lecteurs professionnels mal payés et patients, enseignants de langues étrangères, pour la plupart — de ne regarder que les trois premières et les deux dernières pages de tous les manuscrits, quels qu'ils soient. S'ils annonçaient une nouvelle version du dilemme Est-Ouest, déguisé en regard neuf sur le passé récent, il ne voulait en voir aucun résumé, ne serait-il que d'une phrase.

En se penchant dans l'allée, Forain pouvait observer l'absoute. Halina et sa fille sanglotante en tête, les gens défilaient en traînant les pieds autour du cercueil, chaque personne se montrant prête à ajouter un appel personnel à la miséricorde divine. Lui restait à sa place. Il ne s'acharnait pas contre les impondérables, ni ne tentait de les infléchir, ceci depuis la mort de l'ami, propriétaire du manteau en cachemire. Si la maison d'édition dépérissait encore plus, si de branlante elle allait à l'effondrement, il se mettrait à écrire. Pourquoi pas ? Il savait au moins ce qu'il avait envie d'éditer. Il serait libéré désormais de la nécessité de traiter avec des acteurs vivants : leurs loyers, leurs divorces, leurs abcès dentaires, sans parler de la nouvelle tocade à l'Est, leurs psychiatres.

Son premier roman : quel titre allait-il lui donner ? Il en laissa un monter à la surface de son imagination en veilleuse ; il émergea, noir et puissant, sur la couverture d'un livre exposé dans une vitrine : *la Cerisaie*. Son esprit releva le défi. Et s'il faisait un roman tranquillement futé, malicieusement inspiré de la pièce ? Un propriétaire dépossédé, après quarante-sept ans d'exil, revient à Karl-Marx-Stadt pour reprendre la maison de famille. A présent, elle est habitée par seize couples laborieux et trente-huit petits enfants. Il les jette dehors et le roman s'achève par une description morose de jurons et de bagarres tandis que des travailleurs immigrés tentent d'installer une antenne parabolique dans le jardin, là où se trouvaient autrefois les balançoires. C'était une façon de garder un pied dans l'ancien territoire, pensa Forain, mais en changeant radicalement d'optique. Il fallait qu'il se déplace en crabe : il ne pouvait pas d'un seul coup se mettre à publier des poèmes sur la pollution en Mer du Nord et la menace qu'elle représentait pour la pêche au hareng.

Voilà une plaisanterie qu'il aurait pu partager avec Tremski. La belle-fille avait débranché le téléphone tandis que Tremski était encore à l'hôpital, dans l'attente de la mort. Non que Forain eût envie de composer un numéro éteint et de le laisser sonner. Même au milieu du chagrin mortel qu'il éprouvait pour Barbara, la pensée de Forain écrivain lui-même l'aurait fait sourire. Il avait accepté Forain, n'admettait pas qu'on dise quoi que ce soit à son détriment, de même qu'il n'avait pas accepté de quitter son appartement vétuste et qu'il était resté fidèle à sa femme, mais il avait tenu les meilleures productions de Forain pour une sorte de bricolage d'amateur occidental, et toutes ses idées lumineuses pour des aubes illusoires. Forain vivait une vie de rêve comme éditeur, selon Tremski, à la tête d'un peloton d'écrivains prêts à s'effacer, dans une dèche noire, qui ne demandaient qu'à être lus, persuadés qu'ils étaient d'avoir quelque chose à dire de décisif pour l'Occident, qui pourrait peut-être même le pousser à l'action. Quel genre d'action ? se demandait encore Forain. L'homme intelligent dont on venait de confier les restes à l'éternité n'était pas différent ; il savait que Forain était pauvre mais il le croyait riche. Il pensait qu'une nouvelle grande guerre laisserait l'Europe Centrale intacte. Les missiles libérateurs passeraient doucement sans même agiter les feuilles à la cime d'un peuplier. Quant aux belligérants, leur heure était peut-être venue.

L'assemblée s'était levée. Au lieu d'adresser une dernière prière, verbeuse et anonyme, Forain choisit d'offrir une évocation plus consistante de Tremski, l'ultime inventaire de son appartement. D'abord, l'entrée, où un lumignon sous un abat-jour bleu laissait entrevoir des accumulations de manteaux suspendus, mais pas les bottes et les parapluies qui faisaient trébucher les visiteurs. Barbara n'était jamais intervenue, ne récriminait jamais, n'essayait jamais de mettre de l'ordre. On était chez Tremski. Une ouverture arrondie donnait accès à la pièce utilisée par Barbara. Dans un coin, la chaise sur laquelle s'entassaient les journaux et revues que Tremski avait encore l'intention de lire. Plus loin, des rayonnages en bois brut supportant des dossiers, dont certains étaient vides et d'autres vomissaient des feuilles de papier ministre qu'il était interdit de toucher jusqu'à ce que Tremski ait eu la possibilité de tout classer. Encore une bibliothèque, cette fois avec des livres. La surplombant, le déploiement des photographies de ses vieux amis. Une fenêtre, et une vue qui tenait de celle qui s'offre aux prisonniers. Devant la fenêtre, une table à abattant qu'il fallait dégager pour les repas. Le canapé étroit, encore drapé d'une couverture, sur lequel Halina avait dormi jusqu'à ce qu'elle prenne la fuite. (Barbara n'avait jamais cessé d'attendre son retour, disant : « Il s'agissait d'une erreur. » Tremski lui aurait fait bon accueil et même acheté un autre canapé au marché aux puces, pour la petite.) Le fauteuil rouge foncé dans lequel Forain était assis la première fois qu'il avait rencontré Barbara. Sa chaise à elle, à dossier droit, et le petit bureau où elle rédigeait les lettres d'affaires pour Tremski. Au mur, un portrait au fusain de Tremski, probablement fait par un artiste amateur, daté de juin 1945. C'était un visage qui avait réchappé, tout juste.

Les personnes habituées au cérémonial se tournèrent vers un voisin pour échanger le baiser de paix. Celles qui ne l'étaient pas se rétractèrent un peu, comme si ce contact dénué de chaleur était une forme nouvelle d'agression. Forain trouvait que l'amour sans destination, mis en symboles, était absolument terrifiant. Il refusa le rapprochement universel, enfonça les mains dans ses poches, comme un enfant rebelle, et rejoignit les files désordonnées qui se dirigeaient lentement vers la sortie et vers la pluie.

Deux heures plus tard, l'intervalle étant amplement rempli par l'accident, l'arrivée et le départ de l'ambulance, les longues formalités d'admission, et l'attente propre à un service intitulé « Urgence », Forain quitta l'hôpital. La vieille dame était trop commotionnée pour être très communicative, mais elle parvint à articuler clairement : « Pas de famille, pas d'assurance. » Il avait laissé son adresse et, encore plus à contrecœur, un chèque dont il espérait sincèrement qu'il ne fût pas en bois. Le vent et la neige fondue, prévues pour le début de la journée, s'abattirent sur lui et le trempèrent. Il contourna le bâtiment et aperçut, de l'autre côté d'une rue étroite, des immigrés qui attendaient devant la façade nord de la Préfecture de police. Les Maghrébins faisaient une queue séparée.

Il n'y avait pas de taxis. Il se sentait trop affamé et mouillé pour traverser le pont jusqu'à la place Saint-Michel, à trois minutes de marche. Dans un café sur le boulevard du Palais, il suspendit son manteau là où il pouvait le surveiller, et commanda un croque-monsieur, un verre de Badoit, une petite carafe de vin et un café, tout en même temps. Le garçon oublia le vin. Quand il s'en souvint enfin, Forain était prêt à partir. Il voulut contester l'addition, mais vit que le garçon avait l'air effrayé. Il était jeune, avec des mains maladroites, des stries rouges fiévreuses sous les yeux, et des cheveux blonds rudes : un étranger, probablement travailleur clandestin, à portée de la police la plus puissante de France. Tant pis, se dit Forain, mais pas de pourboire. Il s'aperçut que le garçon donnait sans arrêt des coups d'œil en direction de quelqu'un ou de quelque chose au fond de la salle : son employeur, devina Forain. Il se sentit, comme il s'était senti pendant une grande partie de la journée, harcelé, tourmenté, piégé. Il laissa tomber sur le plateau un pourboire de quelques pièces prises au hasard et enfila son manteau. Le garçon fit un sourire entendu sans le remercier, empocha les pièces et remporta le vin intact à la cuisine.

Le cou enfoncé dans les épaules, le col relevé, Forain se dirigea vers la station de taxis, place Saint-Michel. Six ou sept personnes sous des parapluies ruisselants attendaient au bord du trottoir. Un taxi s'arrêta brusquement dans la rue voisine et une femme en sortit ; Forain prit sa place comme si c'était la chose la plus naturelle du monde. Il n'avait plus faim, mais avait le sentiment d'être vêtu d'une accumulation de serviettes éponge humides. Le chauffeur, à l'accent puissant, probablement portugais, lui intima l'ordre de descendre. Il n'avait pas le droit de prendre de passager à cet endroit-là, près d'une station. Forain lui fit remarquer qu'il n'y avait pas de taxi à la station. Il verrouilla la porte — comme si cela changeait quelque chose —, croisa les bras et resta assis à grelotter. Il souhaita au chauffeur le pire sort qu'il pût imaginer : de faire la queue devant la façade nord de la Préfecture de police et d'attendre pour rien.

« Vous avez de la chance d'avoir du travail, dit-il subitement. Il faudrait que vous voyiez tous ces gens sans emplois, sans papiers, juste là-bas, de l'autre côté de la Seine.

— Je les ai vus, répondit le chauffeur. Moi, je pourrais perdre mon boulot rien que parce que je vous ai pris. Vous devriez être en train d'attendre votre tour devant ce panneau, juste après le coin. »

Ils restèrent sans parler pendant quelques secondes. Forain examina attentivement la position du cou et des épaules, en nota la rigidité et la tension. Le chauffeur avait l'air absorbé par un jeu-concours à la radio, ou peut-être faisait-il semblant d'écouter en essayant de décider s'il serait judicieux de faire appel à un agent de police. Une telle confrontation risquait de se retourner contre lui si Forain se révélait être un personnage important, adjoint du directeur de cabinet d'un ministre, par exemple.

Forain sut qu'il avait gagné. C'était une question de secondes maintenant. Il entendit : « Comment s'appelait la reine de Saba ? » « Laquelle ? » « Celle qui a rendu visite au roi Salomon. » « Pouvez-vous me dire une lettre ? » « B ». « Brigitte ? »

Le chauffeur bougea la tête d'avant en arrière, laissa légèrement tomber les épaules. Prenant une voix douce, agréable, Forain lui donna l'adresse de son bureau, indiquant le couvent de Saint-Vincent-de-Paul comme repère. Il avait pensé rentrer tout droit chez lui pour changer ses chaussures, mais attraper une pneumonie n'était rien en comparaison de la perte de la dévouée Lisette ; plus vite il lui parlerait, mieux ce serait.

Elle aurait dû venir à l'enterrement. Cela pouvait servir d'entrée en matière. Il se rendit compte qu'il n'avait pas eu une pensée pour Tremski depuis près de trois heures. Il poursuivit l'inventaire qui lui tenait lieu de prière. Il ne savait plus très bien où il s'était interrompu ; au téléphone sur le bureau de Barbara ? Tremski refusait d'avoir un combiné dans la pièce où il travaillait, mais dès la première sonnerie, il criait à travers la cloison : « Qui est-ce ? », puis : « Que veut-il ? »... « Il m'a rencontré *où* ?... Quand nous étions à l'université ?... Dis-lui que je suis trop occupé. Non, passe-le moi. »

Le chauffeur monta le volume de la radio, puis le baissa. « J'aurais pu perdre mon boulot », dit-il.

Toutes les lumières de la ville flamboyaient sous la pluie obscure. Vues à travers les ruisselets sur une vitre, les rues les moins attrayantes se paraient d'éclat et de bien-être. Forain crut se rappeler que dans l'entrée sombre de Tremski, il y avait une affiche de Charlot, relique de quelque festival de cinéma polonais. Il y avait aussi des caisses et des cartons qu'on n'avait jamais déballés. Tremski ne voulait pas déménager, mais d'une certaine manière, il n'avait jamais emménagé. Brusquement, bien qu'il ne les eût pas vraiment oubliés, Forain se souvint des manuscrits qu'il s'était fait restituer par Halina. Elle avait prétendu qu'aucun d'eux n'était vraiment achevé, mais qu'en savait-elle ? Et s'il ne restait que très, très peu de chose à rédiger ? L'impératif prioritaire, c'était de les faire lire par quelqu'un de compétent, pas ses lecteurs professionnels habituels, laborieux et lents, mais un jeune et brillant critique polonais, qui pourrait au premier coup d'œil voir ce qu'il fallait faire. Combler les lacunes était une question de style et de logique et pouvait tout aussi bien se faire après la traduction.

Quand ils atteignirent la rue du Bac, le chauffeur s'arrêta aussi près qu'il le put de l'entrée, essaya même d'insinuer le taxi entre deux voitures garées, pour que Forain ne soit pas obligé de mettre le pied dans un caniveau plein d'eau bouillonnante. Forain ne parvenait pas à prendre une décision au sujet du pourboire, s'il devait donner un supplément à cet homme (après tout, il aurait pu refuser de l'emmener où que ce soit), ou lui faire prendre conscience de son agressivité. Il n'avait pas encore digéré le « Vous devriez être en train d'attendre votre tour. » Pour finir, il fit un geste à la Tremski en ne prenant pas sa monnaie, qui devait s'élever à trente-cinq pour cent du prix de la course. Il demanda un reçu. Ce n'est que lorsque le chauffeur eut démarré que Forain vit qu'il avait omis d'inclure le pourboire dans le total. La générosité à la Tremski avait peu de chances de se voir récompensée. Ce fut une leçon de plus ce jour-là.

Plus d'un an après, Lisette, travaillant à mi-temps maintenant, signala qu'Halina avait négligé de faire paraître dans les annonces du *Monde* l'anniversaire de la mort de Tremski. Forain voudrait-il le faire, au nom de la maison ? Oui, bien sûr. Il serait faux de dire qu'il avait oublié l'appartement et tout son contenu, mais l'inventaire, la caméra imaginaire qui se déplaçait dans les pièces, le remplissaient d'impatience et du sentiment de faire un effort inutile. Il s'arrêta mentalement devant l'étroit canapé à la couverture marron, le lit d'Halina, et se dit : « Quelle paire ils faisaient, ces deux-là. Elle avait eu raison de s'enfuir, la petite. » Dès que la pensée eut été formulée, il se mit la main devant la bouche, comme pour empêcher les mots de sortir. Il alla encore au-delà, baissant la tête, comme Tremski à l'enterrement de Barbara, il se jura qu'il garderait à l'esprit les choses telles qu'elles avaient été et non telles qu'elles lui semblaient maintenant. Mais l'appartement avait été libéré et Tremski avait disparu. Un grand nombre de gens avaient prié pour lui avec ferveur et tout le plaisir qu'il aurait pu retirer de cette scène serait d'avoir vu Forain se ridiculiser pour rien.

Il y avait aussi eu des changements au bureau. Lisette avait accepté de rester le temps qu'il faudrait pour initier une nouvelle recrue : une jeune fille mince et jolie, issue de la récente émigration non politique. Elle portait une minijupe en cuir, s'affirmait indifférente à l'argent mais disait aimer la littérature et ne pas vouloir gagner sa vie à faire quelque chose d'ennuyeux. Elle s'entendait bien avec Halina et avait même évité à Forain les rencontres sporadiques pénibles.

Dès qu'elle commença d'être au fait de ses nouvelles fonctions, sans perdre de temps elle fit courir le bruit que Forain avait été l'amant de Barbara et refusait de rendre un manteau de prix qui avait appartenu à Tremski. Le manuscrit posthume, à la dimension d'un roman, était pratiquement prêt à être imprimé, avec un dernier chapitre tricoté à partir de fragments que Tremski avait laissés s'effilocher. La nouvelle venue, qui avait le don des langues, compara les deux versions et déclara qu'il aurait donné son approbation. Quand Forain montra un instant de doute et d'hésitation, elle put lui rappeler comment, en fin de compte, Tremski n'avait jamais su ce qu'il voulait.

Les circonstances

En raison de son âge avancé et du manque de proches parents, M. Wroblewski reçoit peu de courrier. La plupart de ses amis de jeunesse à Varsovie sont morts ; et les survivants n'ont pas grand-chose à dire, à moins de parler de leurs petits-enfants, et il est difficile d'entretenir une correspondance à propos de complets inconnus. Même les grands-parents ne les connaissent que par des instantanés en couleur ou comme des voix aiguës et timides au téléphone. Ils ne disent que trois mots de polonais et ils ont des noms de consonance anglaise : leurs parents ont émigré dès qu'ils en ont eu la possibilité. La femme de M. Wroblewski a une nièce à Canberra : Teresa, épouse de Stanley, mère de Fiona et de Tim. Il conserve leurs photographies classées dans de grandes enveloppes en papier kraft. Si jamais Teresa et sa famille décident de faire un séjour à Paris, il affichera leurs visages réjouis dans tout l'appartement.

On aurait pu imaginer que le changement de la situation en Europe de l'Est introduirait un peu l'espoir dans les nouvelles en provenance de Varsovie, mais ses correspondants, les rares qui restent, semblent découragés, méfiants. Tout coûte trop cher. Les jeunes sont ignorants et insolents. La langue parlée est altérée. On arrache les sacs à main sur les marches des églises. Aucun livre ne vaut la peine d'être lu : il n'y a que de la pornographie et des traductions de « littérature de gare » occidentale.

Récemment, un ami qu'il n'a pas vu depuis cinquante ans, mais avec lequel il est resté en relation, lui a écrit une longue lettre. On avait demandé à cet ami de décrire son expérience du ghetto pendant la guerre, pour une émission de radio. Il a reçu en retour des messages insultants, orduriers, et même une menace de mort. C'est un vieillard. Assurément, trop c'est trop. « A cet égard, rien n'a changé, écrivait-il. C'est inscrit dans le cerveau, le sang, les os. Ce n'est pas pour toi que je dis cela. Toi, tu as toujours été différent. »

Un compliment, certes, mais personne ne désire être distingué, mis à l'épreuve, tenu pour une exception. « Ce n'est pas pour toi que je dis cela », entraîne un malaise et des sentiments pénibles. Il y a longtemps, peut-être, que M. Wroblewski, jeune homme inexpérimenté et cordial, avait dit la même chose à son ami : « Toi, bien sûr, tu es complètement différent. C'est de tous les autres que je parle. »

Était-il possible qu'il l'ait dit ? Il aurait voulu pouvoir envoyer un billet d'avion pour Paris à son ami, lui trouver une chambre confortable en payant la note discrètement, et l'inviter à dîner : M. Wroblewski, son ami, et Magda, autour de la petite table du séjour, dans le rayonnement de l'abat-jour vert, avec les rideaux verts tirés. Ou bien, chez Marcel, où il allait autrefois avec Magda. Le patron se souviendrait d'eux, leur offrirait des petits verres de cognac avec le café : jovial, généreux, accueillant : une Europe, un monde.

Là, tu vois, dirait à son ami M. Wroblewski. Il y a des lueurs.

L'automne est doux, humide et tiède. Entre les

averses, les larges boulevards se remplissent de promeneurs, comme si l'on était en été. Il est assis à l'Atelier, le nouveau café juste à côté du Select, occupé à rédiger et à rejeter une réponse à son ami. Son chapeau et sa canne sont posés sur une chaise, sous laquelle est couché son chien obéissant. L'Atelier a ouvert dans les années quatre-vingt, mais pour lui c'est encore «le nouveau café». On a l'impression qu'il a toujours fait partie de Montparnasse. Les sets de table représentent un modèle d'âge mûr posant pour une classe de dessin — trois générations plus tôt. Les journaux sont enfilés sur des supports en bois, à l'ancienne. Les garçons sont patients, sauf lorsqu'ils prennent pour un affront la réaction d'un client devant une soucoupe pleine de liquide. De l'autre côté de la rue, les murs réfléchissants de l'immeuble qui s'élève maintenant au-dessus de la Coupole renvoient un ciel d'Ile de France, bleu délavé, avec un écran de nuages légers. Si vous êtes assis au premier rang des tables, vous risquez d'être importuné par des mendiants étrangers, souvent des enfants. M. Wroblewski garde de la menue monnaie dans sa poche et la distribue jusqu'à ce qu'il n'y en ait plus. On a écrit beaucoup d'articles pour avertir de ne pas le faire : l'argent va aux hommes brutaux et cyniques qui mettent les enfants dans la rue.

Son ami de Varsovie a l'esprit absolument présent, avec une étonnante mémoire des événements, classés, situés dans le temps. S'il était ici, à cet instant, il trouverait un contexte historique pour tout, le nouvel immeuble et ses glaces, le modèle nu, la mendiante avec sa longue tresse et la miette de diamant incrustée dans son nez.

Qui, ayant entendu la voix d'un vieil homme à la radio, serait capable de s'asseoir et de rédiger une menace ? Ce que voit M. Wroblewski, ce sont les épaules voûtées d'un homme, sa nuque épaisse. Mais non, dirait peut-être son ami : j'ai vu son visage, il est mince et raffiné. Qu'espères-tu encore ? Que peux-tu attendre ? Autant pour tes lueurs.

Ainsi échangeraient-ils des idées tout au long de l'après-midi, jusque dans la soirée, l'intensité des lumières à l'intérieur du café augmentant à mesure que les arbres dehors se confondent avec la nuit.

Son ami serait peut-être heureux de rencontrer quelqu'un de complètement neuf, sans lien avec l'énigme sombre de cet homme et de sa lettre porteuse de mort. Malheureusement, la plupart des relations parisiennes de M. Wroblewski ont disparu, ou sont parties dans des villes et des banlieues reculées (tout paraît loin), ou bien se sont retirées dans une région de l'esprit qui doit ressembler à une coquille tordue et creuse. Quand il lit une lettre de Canberra à sa femme, il prend automatiquement soin de traduire les expressions anglaises qu'emploie Teresa. Magda comprenait l'anglais autrefois, mais même son français est en train de s'effacer. Avant qu'il atteigne la fin de la lettre, Magda aura demandé quatre ou cinq fois : « De qui est-elle ? », bien qu'il lui ait montré la signature et les timbres australiens colorés. Ou bien, il arrive qu'elle le surprenne en lui posant une question pertinente : « Est-ce qu'ils viennent à la maison pour Noël ? » On ne peut pas savoir ce que signifie « la maison » pour elle. Il se peut qu'elle lui demande : « Mon père t'aime-t-il ? » ou même : « Où habitez-vous ? »

Elle utilise son petit nom, dit « Maciek et moi », mais ne sait rien de lui. Elle est capable de jouer aux cartes, d'écrire une lettre — à qui, ce n'est jamais clair — et il fait semblant de la timbrer et de la mettre à la poste. Le temps qu'il invente une adresse plausible, l'incident s'est dissous. Elle regarde fixement l'enveloppe. De quoi parle-t-il ? Elle se tient en équilibre sur l'instant qui sépare l'ombre de la lumière, quand le dernier rêve de l'aube part rapidement en lambeaux et que la prise de conscience matinale n'est pas encore complète. Elle vit cette fraction de seconde toute la journée.

Ce matin, quand il lui a apporté le plateau du petit déjeuner, il a trouvé une lettre égarée sur le tapis. Son écriture est plus grande qu'avant, plus facile à lire.

Ma très chère!

Maciek enseigne, et moi aussi! Au lycée polonais de Paris. Il enseigne le français, moi l'algèbre et la musique. Nos élèves sont disciplinés. Nous avons des passeports Nansen! Ils s'ouvrent en grand, comme un accordéon. Peu de gens ont la chance d'avoir ces passeports! Ils sont très anciens! Peu de gens ont le droit de les avoir. Maciek enseigne le français.

Ta Magda qui t'aime.

Tout ce que raconte la lettre est vrai, si vous imaginez que cette journée se déroule il y a quarante-cinq ans. Il dit : « Quelle bonne lettre. Est-elle destinée à Teresa ? »

Elle s'est redressée dans son lit et a pris le thé. « Qu'est-ce que c'est que la Prusse ? »

Cette question sur la Prusse est nouvelle. Peut-être que dans un des rêves en lambeaux, quelqu'un a crié « La Prusse ! » d'une voix onirique qui transformait les mots et les noms en affirmations dramatiques. Son regard s'est tourné vers la fenêtre et elle a bu son thé à petites gorgées. Ce qu'elle voyait, si elle était capable de le reconnaître, c'était le grand garage au coin de la rue et au moins un des arbres du boulevard Raspail.

« Ils ont abattu des arbres », a-t-elle signalé il y a peu de temps, en faisant le tour du pâté de maisons avec lui. Elle avait raison : c'est lui qui n'avait pas remarqué les vides, bien qu'il prenne le boulevard tous les jours que Dieu fait.

Si vous ne cherchez pas à entretenir une conversation, rien ne se voit. Quand il l'emmène l'après-midi prendre le thé et une tranche de cake, elle paraît plus belle et maîtresse d'elle-même que la plupart des vieilles dames aux autres tables. Elles font des saletés avec les miettes, donnent la pâte de leurs tartes à leurs chiens de manchon insupportables, harcèlent le serveur de questions aussi répétitives et fastidieuses que celles de Magda : pourquoi la porte est-elle ouverte ? pourquoi ne ferme-t-on pas la porte ? Eh bien, pourquoi ne demandez-vous pas à quelqu'un de la réparer ? Ce qui est préoccupant chez Magda, c'est qu'on ne peut pas la laisser seule une minute, sinon elle se retrouve dans la rue, essayant de monter dans un bus, en route pour donner un cours de solfège dans une école polonaise qui n'existe plus.

Le matin, c'est le temps de la lenteur : elle refuse de comprendre le b.a.ba des boutons, des fermetures Éclair, du peigne, de la brosse à dents. Marie-Louise, née en Martinique, arrive à neuf heures, cinq jours par semaine. Elle sait comment persuader Magda de sortir de son lit et d'enfiler ses vêtements. (Un bain peut prendre trois quarts d'heure.) Enfin, coquettement vêtue, tenant la main de Marie-Louise, elle regarde une émission de dessins animés, un cours de cuisine ou un homme encagoulé qui fait un hold-up dans une banque américaine. En s'agrippant toujours à Marie-Louise, elle dira peut-être : « Qui est cette femme ? Je n'aime pas cette femme. Dis-lui de s'en aller. »

Marie-Louise est envoyée par le service d'aide sociale de la Ville et ne leur coûte rien. Il y a des règles strictes : interdiction des travaux ménagers, mais, par gentillesse, elle peut mettre en marche la machine à laver ou préparer une compote de pommes et de poires pour le déjeuner de Magda. Pendant ce temps, lui fait les courses, promène le chien. Si Marie-Louise dit qu'elle peut rester jusqu'à midi, il monte à Montparnasse lire les journaux. Le store et les parasols blancs de l'Atelier évoquent la Côte d'Azur, quand Nice et Monaco étaient encore dans ses moyens et pas trop envahis ; Magda et lui y allaient tous les ans à Pâques, voyageant en troisième classe.

Il peut retracer pas à pas leur train-train quotidien : la plage le matin, même quand Pâques tombait en mars et que la mer était trop froide pour y patauger ; un déjeuner pique-nique de pain, de fromage et de fruits qu'ils mangeaient installés dans des chaises-longues sur le front de mer ; une sieste ; une longue promenade, puis un changement de vêtements — dans des tons de crème et d'ivoire pour Magda, de beige ou de marine en tissu léger pour lui. Un apéritif sous un store blanc ; le dîner à la pension de famille. (A la salle à manger, les Wroblewski se tenaient à l'écart.) Après le dîner, une visite au Casino, pas pour jouer mais pour regarder les gens les plus civilisés d'Europe jeter l'argent par les fenêtres.

Aujourd'hui, il faudrait être millionnaire pour vivre de cette façon.

A Montparnasse, l'autre jour, une femme assise seule a allumé une petite radio. La musique ressemblait au Mozart du début ou au Haydn tardif. Personne ne s'en est plaint, alors les garçons n'ont rien dit. Sur fond sonore, M. Wroblewski a essayé de calculer son dû avec précision, en sommes qui n'avaient aucun rapport avec l'argent. Il aurait juré devant n'importe quel tribunal, terrestre ou céleste, qu'il n'avait jamais rampé.

La musique s'est interrompue et une voie neutre et cultivée a commencé à décrire ce qui venait d'être joué.

La femme a coupé la voix et remis la radio dans son sac à main. Pendant quelques instants, le café a paru sans vie, puis M. Wroblewski s'est mis à saisir des conversations, le cliquetis des cuillères, les voitures qui passaient : des bruits tellement familiers qu'ils se ramenaient au silence.

Il avait mendié, bien sûr. Il avait imploré de quoi manger, le soulagement de la douleur, un passeport, un travail. Des lambeaux d'épisodes traités par le mépris, abandonnés, jonchaient les rues. Seul, un adepte des aubes grises se retournerait pour les examiner. Aussi bien pourriez-vous ramasser toutes les lettres tachées que vous voyez dans le ruisseau et intituler cette collection autobiographie.

Il avait dû avoir quelques vertus, assurément. Par exemple, il n'avait jamais tenté d'obtenir un avantage par la fraude. Il y a des gens qui font de la tricherie leur raison d'être. Certains essayent même de se débrouiller pour se faire donner une des boîtes de chocolats que distribue le maire de Paris à Noël. Ces candidats à l'escroquerie, ayant dans les cinquante ou soixante ans, sont trop jeunes pour figurer sur la liste du maire. Ou alors, ils ont de gros revenus et devraient absolument assumer eux-mêmes les frais de leurs plaisirs. En fait, ce sont les riches qui mettent des vêtements râpés et entrent avec désinvolture dans leur mairie d'arrondissement en brandissant un bon qui ne tromperait pas un enfant. Eux qui pourraient acheter une tonne de chocolats sans que cela fasse de trou dans leurs finances.

Les Wroblewski, ni fortunés ni dans le besoin, reçoivent leur cadeau annuel d'une façon régulière et légale. Il y a environ quatre ans, un avis est arrivé donnant le droit à Magda Zaleska, épouse Wroblewska, de toucher le cadeau du maire. Comme elle commençait juste à donner des signes d'angoisse à propos de choses très simples, c'est lui qui y est allé à sa place en emportant son passeport et un bail dont elle était co-signataire, avec une lettre d'explications qu'il avait écrite et lui avait fait signer. (Personne ne voulut la lire.) Il se rappelle comment il s'est fatigué à monter et redescendre les escaliers avant de tomber sur un écriteau fait à la main, qui disait « Chocolats — Présentez Bon et Carte d'Identité. »

La boîte s'est révélée d'une taille renversante, trop grande pour un tiroir ou une étagère de cuisine. Elle est restée pendant des semaines sur le poste de télévision. (Ils n'aimaient le chocolat ni l'un ni l'autre, sinon de temps en temps un carré de la variété amère, mangé en buvant du café noir fort.) Pour finir, il en a transféré la moitié dans un récipient métallique dans lequel des amis polonais vivant en Angleterre leur avaient envoyé des sablés et des biscuits à la farine complète, et l'a expédié à une cousine éloignée de Magda. La cousine avait répondu qu'elle trouvait du chocolat à Varsovie, mais qu'un paquet de lessive ou du savon de toilette qui ne vous arrachait pas la peau seraient les bienvenus.

Il avait utilisé une partie des chocolats de l'année dernière comme offrande à la concierge, les installant joliment dans une corbeille d'osier qui avait accompagné un achat d'abricots secs ; elle a enlevé le ruban et le papier à fleurs, les a pliés et s'est exclamée : « Ah ! Les chocolats du maire ! » Il se demande encore comment elle le savait : ils sont d'excellente qualité et ressemblent à n'importe quels chocolats qu'on voit à la devanture des confiseries. Peut-être figure-t-elle sur la liste et envoie-t-elle les siens à des parents au Portugal. C'est peu vraisemblable, à première vue : ils sont destinés aux personnes âgées et méritantes, et elle, elle a quarante ans à peine. Peut-être se trouve-t-elle parmi les truqueurs qui ont fraudé avec un faux acte de naissance. Et puis après ? C'est une femme estimable, travailleuse et gentille. Un homme qu'il connaît a certifié sous serment qu'il était trop pauvre pour payer la taxe annuelle de télévision et on l'a cru : ici à Paris, où l'on pense que chaque résident est recensé, où la vie entière de tous les immigrés autorisés est enfermée dans un ordinateur ou serrée dans la couverture cartonnée d'un dossier attaché avec une sangle de coton effilochée.

Quand il apporte son petit déjeuner à Magda, il a l'air d'être en route pour une réunion importante avec le directeur de la banque, par exemple, ou le maire en personne. Il s'accroche à son côté de la frontière entre la veille et le sommeil, observe son propre comportement pour déceler des symptômes de contagion : une notion imprécise du temps, l'oubli des noms, la tendance à sortir du sujet dans la conversation. Il se porte bien, sa vue est bonne, il entend encore le bruit des lettres quand la concierge les glisse sous la porte. Il a passé dix mois à Dachau pendant l'hiver et le printemps de la fin de la guerre et a perdu une dent pour chaque mois. Elles ont été remplacées de façon peu coûteuse, bricolée, mieux que rien. Les Allemands lui allouent une pension mensuelle qui paie sa modeste facture téléphonique avec un peu de reste. Il est placé très bas sur l'échelle des réparations. En premier lieu, comme l'a indiqué l'avocat allemand qui s'est occupé de sa réclamation, il était adulte à l'époque. Il avait terminé ses études. Il avait une profession. On peut enseigner une langue étrangère partout dans le monde. Tout ce qu'il avait à faire, une fois la guerre finie, c'était de reprendre comme avant. Il ne peut pas invoquer le fait que ces dix mois ont constitué une fracture irréparable, avec un avant et un après, ou même une vie gâchée. Quand il a expliqué qu'il touchait une pension allemande au receveur des impôts, celui-ci lui a demandé s'il avait servi dans la Wehrmacht. Il a des vertiges s'il penche la tête — par exemple, au-dessus d'un journal étendu à plat — et il prend une capsule verte et blanche tous les jours pour régulariser son rythme cardiaque.

Dès que Marie-Louise sonne à la porte, le chien tire sa laisse de l'endroit où elle est rangée et vient la déposer aux pieds de M. Wroblewski. Hector est un jeune schnauzer à poil dur, joueur, acheté sur les conseils de leur médecin pour fournir un centre d'intérêt à Magda. Il survivra forcément à son maître. M. Wroblewski a pris des dispositions : la concierge le reprendra. Elle a hâte de le faire : il lui arrive de dire à Hector : « Nous voilà, seuls tous les deux », comme si M. Wroblewski faisait déjà partie des disparus. Promener Hector semble de plus en plus pénible. Les Parisiens garent leurs voitures au ras des trottoirs, sans laisser d'espace, et la circulation au-delà défile à toute vitesse, comme la grêle poussée par un grand vent. Quand Magda — elle entre toutes — lui a fait remarquer la disparition de ces quelques arbres, il a éprouvé une consternation déraisonnable, comme si tout ce qui comptait pour lui, sans exception, avait été abattu. Pourquoi ne nous laissent-ils pas tranquilles ? se demandait-il. Depuis quelque temps, il converse en silence, sans interlocuteur particulier. C'est alors que la lettre est arrivée et qu'il a commencé à s'adresser à son ami. Il évite certains mots, tels que « problème », « difficulté », « catastrophe » et les remplace pas « les circonstances ».

On est en train de retirer les passeports Nansen. Il connaît trois personnes, âgées de quatre-vingt-un à quatre-vingt-huit ans, qui ont reçu des lettres du ministère des Affaires étrangères : le service qui s'occupe de ces passeports rares et particuliers va être supprimé. Les réfugiés politiques polonais n'existent plus. Ils ont été transformés en citoyen polonais (pour eux, c'est la première nouvelle), et on leur demande de s'adresser à leur ambassade d'origine pour se faire donner des papiers en règle. Un de ces nouveaux citoyens est graveur ; il travaille encore dans un atelier impossible à chauffer de l'autre côté de Montmartre. Un autre est sculpteur, une femme qui a modelé autrefois une effigie de Magda forte et éblouissante. Elle n'avait pas les moyens de la faire fondre et l'original a été cassé ou perdu, il ne s'en souvient plus. C'est par une œuvre d'art qu'il a compris la beauté de sa femme. Jusqu'alors, il avait été fier de son charme et de sa distinction. Il aimait la regarder au piano : peut-être la regardait-il plus qu'il ne l'écoutait. Le troisième a jadis été critique de littérature d'Europe de l'Est ; il a souffert d'une dépression à un moment donné et a renoncé aux préoccupations littéraires.

« Ainsi, *ipso facto*, citoyens polonais, dit le graveur à M. Wroblewski. Que vont-ils faire de nous ? Nous réexpédier en Pologne ? Faisons-nous maintenant partie d'un quota ? A notre âge, il vaut mieux que nous soyons apatrides. » Il a peut-être raison. Ils ne voyagent jamais et n'ont pas besoin de passeports. Ils ont tous un logement, de quoi vivre, plus ou moins. En fait, deux des trois gagnent encore de l'argent. D'une certaine manière, ils se prennent en charge mutuellement.

Personne n'a bougé. Comme le dit le graveur, quand vous avez affaire à la bureaucratie au niveau mondial, le plus astucieux, c'est de ne pas bouger. Quand vous aurez décidé de votre réaction, toutes les règles auront peut-être été changées entre-temps.

C'est vrai, tout en ne l'étant pas. On peut déplacer un pion en douce sans déclencher une émeute. La tactique de M. Wroblewski a été d'établir des lignes de défense. Il doit y avoir un employé au ministère qui barre les noms par ordre alphabétique et se trouve encore loin des

« W ». Après plusieurs faux départs, il a écrit et posté une lettre au Quai d'Orsay pour demander la nationalité française. Il aurait pu le faire depuis des années, bien sûr, mais autrefois, les refus étaient si constants qu'on était découragé dès le début. Quand Magda et lui ont été pourvus de travail, d'un appartement et de leurs précieux passeports, la dernière chose qu'ils ont eu envie de faire, c'était de remplir un formulaire de plus, d'attendre dans une nouvelle queue.

Dans sa lettre, il n'a pas parlé de réfugiés, de statut ni de citoyenneté — autre que française — mais a attiré l'attention sur le nombre d'années qu'il avait vécues en France, sa maîtrise du français et son admiration pour la culture de ce pays. Il a parlé des liens historiques anciens entre la Pologne et la France, avec une brève allusion à l'idylle de Napoléon et de Mme Walewska, puis il a fait remarquer au ministère qu'il n'avait jamais payé son loyer en retard ni eu de découvert à la banque.

(Il y a plus d'un mois que cette lettre est partie. Jusqu'à présent, le Quai d'Orsay n'a pas réagi : un excellent signe. On peut sans risque évoluer en roue libre sur le silence officiel.)

Entre-temps, il s'est passé quelque chose d'autre. Il y a trois semaines environ, il a reçu une lettre personnelle de la banque, tapée sur une vraie machine à écrire, signée avec de la vraie encre : pas de brochures, de prospectus, de photographies d'un couple aux cheveux blancs regardant le Sphinx dans les yeux ou goûtant les plaisirs de Venise. Il n'y avait que le message personnel et une autre chose, un certificat. « Certificat » était imprimé en caractères gras, noirs, ainsi que son nom, correctement orthographié. Une Mme Carole Fournier, faisant partie du service de conseils à la clientèle, le priait de signer le certificat, de demander un rendez-vous, et d'apporter le papier à son guichet. (Sa signature à elle lui a paru ouverte et fiable, quoique encore peu éprouvée par l'existence.) Selon Mme Fournier, pour des raisons qui n'étaient pas exposées, il faisait partie d'une poignée de déposants — des aristocrates à leur manière à qui la banque proposait un crédit en espèces de quinze mille francs. Ce crédit n'était pas un prêt, pas un découvert, mais un fonds dans lequel il pourrait puiser, sans payer d'intérêts, lorsqu'il aurait besoin d'argent liquide sans vouloir écorner ses économies. Les sommes retirées de ce fonds seraient remplacées au rythme de deux mille francs par mois qui seraient pris sur son compte courant. Il n'y aurait ni intérêts, ni charges supplémentaires : il a lu deux fois cette information-là.

Pour quinze mille francs, il pouvait aller en Australie, a-t-il pensé, ou faire une croisière dans les Caraïbes. Il ne ferait rien de tout cela, mais l'offre était généreuse et ne devait pas être rejetée d'emblée. Il avait ouvert un compte avec le chèque de son premier salaire en France : peut-être la banque voulait-elle exprimer sa reconnaissance pour des années de fidélité. Outre son compte courant, il était titulaire de deux comptes d'épargne. L'un des deux était exonéré d'impôts, limité par la loi à quinze mille francs de dépôt : par coïncidence, la somme même qu'on lui offrait. Il pensa qu'il y avait des gens qui prendraient tout et le gaspilleraient goutte à goutte en bêtises, puis se sentiraient démoralisés et pleins de remords en voyant leur compte courant fondre, mois après mois. Ce cadeau était un ballon de baudruche coloré au bout d'une longue ficelle. On pouvait se passer la ficelle de main en main. Lui se voyait tenant la ficelle fermement.

Avant d'avoir eu la possibilité de s'en occuper, il a eu un vertige dans la rue et s'est trouvé obligé d'entrer dans une galerie d'art et de demander s'il pouvait s'asseoir. (Ils ne l'ont pas accueilli gentiment. Il y avait une seule chaise, occupée par une dame qui écrivait des adresses sur des enveloppes.) Son médecin lui a prescrit de prendre une semaine de repos, de préférence à mille lieues de chez lui.

Les arrangements auxquels il a fallu procéder — trouver quelqu'un qui dorme dans l'appartement, deux autres personnes qui viennent dans l'après-midi et le week-end — l'ont plus exténué que s'il avait simplement continué comme d'habitude, mais il a obéi, a fait tout ce qu'il fallait faire, confié Hector à la concierge et pris le train pour Saint-Malo. Des années auparavant, à l'époque des trains lents et des hôtels glacials, il y avait emmené des étudiants. Sans se plaindre, ils avaient mangé des sandwiches arides et des pommes, précipitant les trognons du haut des remparts. Cette fois-ci, il y était seul à la saison des pluies. Sous un parapluie ruisselant, il a de nouveau arpenté les remparts et quand le ciel s'est dégagé, il est retourné voir la tombe de Chateaubriand; depuis le bord de la tombe, il a pris la mesure de l'océan. Il avait aussi amené ses étudiants ici et leur avait tout dit de Chateaubriand (tout ce qu'ils étaient capables d'assimiler) mais ne leur a pas raconté que Sartre avait uriné sur la tombe. Cela aurait risqué de les faire rire.

Il a quitté la tombe et la mer, et a repris le chemin de la cité fortifiée. Il a pensé à d'autres profanations et aux immondices qui peuvent souiller des vies tranquilles. Par ce sombre après-midi, les fenêtres éclairées semblaient l'exclure, comme des rebuffades négligentes. Il allait écrire à son ami : «Je me suis demandé ce que je faisais là, en train de regarder les fenêtres des autres, quand j'ai un foyer à moi.» Le lendemain, il a changé sa réservation et il est rentré à Paris avant que la semaine s'achève.

Magda l'a reconnu mais ne savait pas qu'il s'était

absenté. Elle a demandé s'il avait été dérangé par le voisin qui jouait du Schubert au piano toute la nuit. (Peut-être que ce musicien existait, pensait-il parfois, et que seule Magda l'entendait.) « Il faut que tu lui dises de s'arrêter », a-t-elle demandé. Il a promis de le faire.

Mme Carole Fournier, du service de conseils à la clientèle, se révéla être une jeune femme séduisante, avec toutefois un visage un peu maigre, peut-être. Ses joues creuses la faisaient ressembler à un oiseau, mais quand elle se tournait vers l'écran de son ordinateur à côté de son bureau, son profil rappelait à M. Worblewski celui d'une actrice, Elzbieta Barsczewska. Lorsqu'elle mourut, vêtue de sa robe de mariée blanche, à la fin d'un film intitulé *la Lépreuse*, tout Varsovie a pris le deuil. A côté de Barsczewska, Pola Negri n'était rien.

La monture en plastique des lunettes de Mme Fournier était assortie aux deux peignes rouges dans ses cheveux. Son bureau était un box blanc sans porte avec une grande fenêtre. Son ordinateur, comme tous ceux qu'il avait remarqués dans la banque, avait un écran azuré. Il suggérait l'infini. Sur sa face céruléenne, il pouvait lire sans effort des faits le concernant : sa date de naissance, par exemple. Entre des stores blancs, de part et d'autre de la fenêtre, il voyait une boulangerie et le bureau de poste où il achetait les timbres et postait les lettres. Hector, attaché à un barreau métallique, au milieu de vélos enchaînés et cadenassés, était juste caché à son regard. Si la fenêtre avait été ouverte, on aurait pu entendre ses aboiements plaintifs. M. Wroblewski avait envie de se lever et de s'assurer que le chien n'avait pas été kidnappé, mais il aurait été obligé d'interrompre la charmante Mme Fournier.

Elle a consulté de nouveau l'écran bleu, puis elle est revenue au questionnaire de quatre pages sur son bureau. Il s'était attendu à être bien accueilli. Jusqu'à présent, il s'était agi d'un interrogatoire. «Je suis désolée, a-t-elle expliqué. Cela fait partie de mon travail. Il faut que je vous demande. Avez-vous soixante-dix ans ou plus ?

— Je suis flatté de penser que vous ayez pu entretenir un doute à ce sujet», a-t-il commencé. Elle avait l'air si jeune qu'il a mis une pointe de taquinerie dans sa voix. Elle aurait pu être sa petite-fille, si les générations correspondaient aux vœux des statistiques. Il aurait pu envoyer sa photographie à son ami à Varsovie : les peignes rouges, les petites mains, le médaillon à signe du zodiaque (Gémeaux) sur une chaîne. De l'autre côté de la rue, un garçon est sorti de la boulangerie en portant plusieurs pains longs, pour un restaurant peut-être. Elle attendait. Combien de temps avait-elle attendu? Elle tenait un stylo en suspens au-dessus du questionnaire.

«J'ai célébré mon soixante-sixième anniversaire le jour où le général de Gaulle est mort, dit-il. Je ne veux pas dire que j'ai célébré la mort de cet homme étonnant. Elle m'a fait beaucoup de peine. J'étais au théâtre avec ma femme. La pièce, c'était *Ondine*, avec Isabelle Adjani. C'était son premier grand rôle. Elle devait avoir dix-sept ans : c'était la coqueluche de Paris. Après les rappels, le directeur de théâtre est venu sur la scène, s'est tourné vers le public et a annoncé que le Président était décédé.»

Elle paraissait attendre encore. Il reprit : «Le public a eu le souffle coupé. Nous sommes sortis sans parler. Pour finir, ma femme a dit : "Le pauvre homme. Comme c'est triste, le jour de ton anniversaire." J'ai répondu : "Ainsi va l'histoire." Nous sommes rentrés sous la pluie. En ce temps-là, on pouvait se promener dans les rues après minuit. Il n'y avait pas de danger.»

Le visage de Mme Fournier n'avait reflété de compréhension qu'à la mention d'Isabelle Adjani. Il se sentit tenu d'ajouter : «Je crois que je me suis trompé. Ce n'était pas le général de Gaulle après tout. C'est la mort du Président Pompidou qu'on a annoncée dans tous les théâtres. Je ne suis pas sûr pour Adjani. Ma femme garde toujours les programmes de spectacles. Je pourrais vérifier, si cela vous intéresse.

— Le problème, c'est d'avoir plus de soixante-six ans. Il faudra que vous souscriviez une assurance spéciale. C'est pour protéger la banque, vous comprenez. Cela ne coûte pas cher.

— Je suis assuré.

— Je sais. Celle-ci, c'est pour la banque.» Elle fit pivoter le questionnaire pour qu'il puisse lire une question encadrée : «Prenez-vous un médicament quotidien ?

— Tous les gens de mon âge prennent quelque chose.

— Excusez-moi. Je suis obligée de le demander. Êtes-vous gravement malade ?

— Une maladie chronique. Rien de sérieux.» Il mit la main sur son cœur.

Elle prit le questionnaire, renouvela ses excuses et le quitta. Sur l'écran, il lisait les numéros de ses trois comptes et la date à laquelle chacun d'eux avait été ouvert. Il repensa à Hector, se leva, mais avant qu'il puisse atteindre la fenêtre, Mme Fournier était revenue.

«Je suis désolée, a-t-elle dit. Désolée que cela prenne tant de temps. Asseyez-vous, je vous en prie. J'ai encore quelque chose à vous demander.

— J'essayais de voir mon chien.

— A propos de votre maladie chronique. Êtes-vous susceptible de mourir subitement ?

— J'espère que non.

— J'ai parlé à M. Giraud. Vous serez obligé de subir un examen médical. Non, pas effectué par votre médecin personnel, ajouta-t-elle, le devançant. Un médecin de la compagnie d'assurances. Ce n'est pas pour la banque. C'est pour eux, les assureurs. »

Elle était plus âgée qu'il ne l'avait cru d'abord. L'embarras et ses déguisements avaient tendu son visage, lui donnant à peu près trente-cinq ans. La signature juvénile était un leurre.

« Monsieur Wroblewski, reprit-elle, en s'essayant avec succès à prononcer les consonnes, est-ce que cela vaut la peine, pour quinze mille francs ? Nous sommes prêts à vous accorder un découvert, si vous en aviez besoin. Bien sûr, il y aurait des intérêts à payer.

— Je voulais ce fonds pour la raison précise que vous venez de mentionner : au cas où je mourrais subitement. Quand je mourrai, mes comptes seront gelés, n'est-ce pas ? Je voudrais qu'il y ait de l'argent disponible pour ma femme. Je pensais pouvoir déléguer la responsabilité à mon médecin. Il pourrait signer, n'importe quoi. Ma femme est trop malade pour s'occuper de l'organisation des funérailles, ou pour payer les gens qui s'occupent d'elle ; cela prendra du temps avant que la succession ne soit liquidée.

— Je suis désolée. Vraiment désolée. Ce n'est pas un compte. C'est une réserve d'argent liquide. Si vous mourez, elle cesse d'exister.

— Une réserve d'argent, à mon nom, conservée par une banque, c'est un compte, a-t-il insisté. Je ne m'en servirais jamais, ni n'y toucherais de mon vivant.

— Ce n'est pas votre argent. Pas comme vous l'imaginez. Je suis désolée. Excusez-moi. Cette lettre n'aurait jamais dû vous être envoyée.

— La banque connaît mon âge. Il est là, sur l'écran.

— Je sais. Je suis désolée. Ce n'est pas moi qui envoie ces choses.

— Mais vous les signez ?

— Ce n'est pas moi qui les envoie. »

Ils se serrèrent la main. Il fit prendre un angle désinvolte à son chapeau. Tout ce qu'il portait ce jour-là avait l'air neuf, même le tour de cou en soie, gris avec un petit motif jaune, que Magda avait acheté chez Arnys, rue de Sèvres, mon Dieu, quinze ans auparavant. Rien n'était effilé ni passé. On aurait dit qu'il n'usait jamais rien. Ses ongles étaient coupés, ses mains immaculées. Il fumait encore trois Craven A par jour, mais s'en était abstenu en présence de Mme Fournier, n'ayant pas vu de cendrier sur son bureau. A vrai dire, il n'y avait rien dessus, si ce n'est le questionnaire. Il aurait dû lui apporter des chocolats ; son manquement à la civilité le troublait. Il n'avait rien contre elle. Elle semblait compétente, ses manières étaient prévenantes.

« Vos comptes se portent bien, dit-elle. Cela doit vous soulager. Nous pourrions autoriser... De toute façon, revenez me voir si vous avez un problème.

— Mon problème, c'est ma mort, répondit-il en souriant.

— Il ne faut pas avoir ce genre de pensées. » Elle toucha son talisman Gémeaux, comme s'il pouvait vraiment lui accorder une double vie : l'une avec son lot de tracas, l'autre sans. « Veuillez nous excuser. M. Giraud est désolé. Moi aussi. »

Après le problème de la lettre et la question sur la Prusse ce matin, Magda a été calme. Il l'a laissée finir son thé (elle oublie qu'elle tient une tasse) et a essayé d'engager la conversation sur ce qu'elle voit par la fenêtre.

Elle a dit : « Le voisin joue encore du Schubert toute la nuit. Il m'empêche de dormir. C'est triste quand il s'arrête. »

Ils ont pour voisins un couple qui travaille à l'extérieur. Ils éteignent la télévision à dix heures du soir et l'on n'entend plus rien jusqu'au matin à six heures et demie, quand ils écoutent les informations. A huit heures moins le quart, ils ferment leur porte à clé et appellent l'ascenseur ; il n'y a plus de bruit dans l'appartement jusqu'à l'heure du dîner. Personne ne joue de Schubert.

Il a pris le plateau. Quand il a atteint la porte, elle a dit d'une voix tranquille et amicale : « Le piano m'a empêchée de dormir.

— Je sais, a-t-il répondu. L'homme qui jouait du Schubert.

— Quel homme ? Les hommes ne savent rien jouer.

— Une femme ? Quelqu'un que tu connais ? »

Il a attendu, immobile. Il a dit à son ami : « Si je reçois une réponse, cela signifie qu'elle est guérie. Mais elle s'enfouit sous les couvertures et les oreillers jusqu'à ce que Marie-Louise arrive ; dès qu'elle sera là, je sortirai pour te rencontrer, ou rencontrer la pensée que j'ai de toi, qui ne me quitte jamais à présent. Je lirai les nouvelles et tu me diras ce qu'elles signifient. Nous regarderons ces murs réfléchissants de l'autre côté du boulevard et nous apprécierons la journée à ses couleurs : or pâle, gris, bleu et blanc. Une feuille de verre noir n'a pas de signification : ce n'est ni un nuage ni le ciel. Laisse-moi expliquer. Donne-moi le temps. A cette distance, l'obscurité n'a pas de pouvoir. Elle n'a pas de vie propre. C'est un reflet.

« Aujourd'hui, j'apporterai un bloc de papier à lettres et une enveloppe timbrée avec l'adresse. Tu peux penser à moi, assis à une table derrière la vitre. (Il commence à faire un peu froid pour rester dehors.) J'ai un jeune chien. Comme tu vois, je suis encore d'un optimisme ennuyeux. Magda va bien. Ce matin, nous avons parlé de Schubert. Je regrette que ta santé soit mauvaise et que tu ne puisses pas faire de voyage. Sinon, tu pourrais venir ici; nous louerions une voiture et nous irions quelque part, toi, Magda, le chien et moi.

«Je suis navré de l'émission de radio et de l'effet qu'elle a eu sur des gens méprisables. Ici aussi, il y a des esprits tordus, tu ne croirais jamais ce qui se passe. Quelqu'un a clamé : "Hitler est vivant" dans un meeting, m'a-t-on dit. Je suppose que la police ne peut être partout. Prends grand soin de toi, je t'en prie. Tes lettres me sont précieuses. Nous avons tant de souvenirs. Te rappelles-tu *la Lépreuse* et la scène où elle meurt pendant ses noces ? Elle était beaucoup plus belle que Garbo ou Dietrich, tu ne trouves pas ? J'aimerais avoir plus de choses à te raconter, mais ma vie ressemble à un ronronnement. Si je devais la décrire, elle t'endormirait. Peut-être qu'il y aura plus à dire demain. En, attendant, je te souhaite la grâce de Dieu.»

Mlle Dias de Corta

Vous êtes venue habiter chez moi l'été de l'année où l'avortement a été légalisé en France : cela devrait vous aider à vous repérer dans le passé, chère Mlle Dias de Corta. Vous veniez d'arriver à Paris de votre ville natale, qui était, insistiez-vous constamment, Marseille. Vous cherchiez du travail. Vous avez prétendu avoir étudié les techniques d'expression télévisuelle dans quelque école provinciale (nous n'avions jamais entendu parler de cette école, bien que mon fils eût un ou deux amis comédiens) et avoir reçu un diplôme avec mention spéciale pour l'expression vocale. Ce diplôme ne faisait pas partie des choses que nous avons trouvées dans votre valise après votre disparition, mais mon fils s'est souvenu que vous le gardiez dans votre sac à main, au cas où vous auriez la chance d'être assise à côté d'un directeur de casting dans un autobus.

Le lendemain matin, nous avons eu notre première conversation à cœur ouvert. J'ai décrit la mort récente de mon mari et j'ai répété ses dernières paroles qui concernaient mon avenir financier et ne traduisaient pas un optimisme excessif. Je sentais sa présence et j'entendais encore sa voix. J'avais l'impression qu'il était dans la cuisine, en train de se demander ce que vous y faisiez, vous jaugeant : une jeune femme maigre, aux yeux noirs, réservée, debout devant le bar, en train d'avaler son petit déjeuner en vitesse. Un peu renfrognée, peut-être : vous avez refusé la chaise que j'avais apportée de la salle à manger. Négligente, aussi. Il y avait des miettes partout. Vous aviez renversé du lait par terre.

« Ne vous inquiétez pas des saletés, avais-je dit. J'ai l'habitude de passer après les jeunes gens pour faire le ménage. Je suis aux petits soins pour mon fils Robert. » A dire vrai, vous n'aviez pas esquissé le moindre mouvement. Je suis allée chercher le balai-éponge dans le placard, mais quand je vous ai demandé de vous écarter, vous avez commencé à vous étouffer avec la croûte du pain. J'ai attendu tranquillement, puis j'ai dit : « La maladie de mon mari est venue d'avoir mangé trop vite, sans jamais mâcher. » Il m'a expliqué en silence que je perdais mon temps. Il avait raison, mais si je ne vous avais pas prévenue, j'aurais été coupable de non-assistance à personne en danger. Dans notre pays, un tel refus est passible de sanctions.

La seule observation qu'ait faite mon fils Robert à votre sujet, c'est : « Elle est trop petite pour être comédienne. » Il en était au premier degré d'une carrière dans le service public connu alors sous le nom de Postes-Télégraphes-Téléphones. On l'a subdivisé maintenant et rebaptisé de termes brefs et modernes que je n'arrive jamais à retenir. (Il y a peu de temps, j'ai eu le plaisir de rendre visite à Robert dans son nouveau lieu de travail. Il y a un écran ou un appareil quelconque partout où le regard se pose. Robert partage un bureau spacieux avec deux femmes. L'une est née en Martinique et ne prononce pas les « r ». L'autre a l'air corse.) Il quittait la maison de bonne heure tous les jours et aimait passer ses soirées avec une bande de nouveaux amis dont pas un seul ne semblait avoir de mère. L'éducation aberrante des années soixante-dix, qui encourageait à critiquer les générations précédentes, avait déformé ses sentiments naturels. Un jour, alors qu'il passait la porte pour sortir, je lui ai demandé s'il m'aimait. Il m'a dit que la réponse allait de soi : nous étions proches parents. Son comportement a changé du tout au tout après son mariage avec Anny Clarens, jeune fille d'origine mêlée : deux de ses grand-parents sont suisses. Elle est employée au service comptable d'un hôpital important et elle aime son travail. Ils ont trois enfants : Bruno, Élodie et Félicie.

C'est pour avoir de la compagnie, plutôt que pour les revenus, que j'ai pris la décision d'accueillir une inconnue. Ma petite annonce dans *le Figaro* indiquait «Jeune femme seulement», bien que ceux qui me voulaient du bien, depuis le coiffeur jusqu'à la concierge, eussent fortement conseillé «Jeune homme». «Jeune homme» avait la réputation d'être plus ordonné, plus propre, plus silencieux et (sauf dans des cas particuliers sur lesquels je n'ai pas besoin de m'étendre) n'aurait aucune incidence sur ma relation avec mon fils. En fait, il était rare que Robert fût disponible pour une conversation. Il n'avait jamais manifesté d'intérêt pour un échange d'idées avec une femme, même pas celle qui le connaissait depuis qu'il était né.

Vous avez appelé depuis une cabine dans une rue animée. J'entendais le cliquetis des pièces et le bruit de la circulation. Vous aviez une voix grave et agréable qui, à l'exception du son d'une ou deux voyelles, aurait pu passer pour française cultivée. Je suppose que des leçons de diction, quel qu'en soit le nombre, ne viendront jamais à bout du «o» méridional, long quand il devrait être bref et écourté quand il devrait être ample. Mais, à cette époque-là, la langue était déjà décadente, en raison du laisser-aller dans l'enseignement et de l'immigration incontrôlée. J'admire votre réussite et je respecte vos origines modestes ; je sais que Robert en dirait autant s'il savait que je pense à vous.

Votre valise était d'une légèreté de plume. Je me suis demandée si vous possédiez des vêtements chauds et si même vous saviez qu'il existait quelque chose de tel qu'un été humide. Vous auriez sans doute paru plus à votre aise à lézarder dans un jardin luxuriant qu'en sillonnant les rues frisquettes en quête de travail. Je vous ai montré la chambre : la mienne, avec ses deux fenêtres d'angle et la vue qui plonge dans l'avenue de Choisy. (Moi, je devais prendre celle de Robert et lui allait dormir dans le séjour, sur un canapé.) A l'extrémité de l'avenue, la colonisation asiatique avait commencé : quelques restaurants et des boutiques qui vendaient des bols à riz et des pantoufles brodées importées de Taiwan. (Depuis cette époque, la communauté s'est étendue dans toutes les rues avoisinantes. La police évite le secteur, préférant laisser les immigrés régler les différends à leur manière. Il semblerait qu'ils punissent les délinquants en les jetant du haut du pont de Tolbiac. Robert a eu vent d'un rapport secret, rédigé par des experts, que le maire laisse dormir sur son bureau depuis dix-huit mois. Selon ce rapport, d'ici l'an 2025, les Asiatiques se seront approprié le tiers de Paris, les Arabes et les Africains les trois quarts, et les immigrés européens non qualifiés les deux cinquièmes. Des milliers de noms à consonance étrangère sont délibérément «perdus» par les autorités et ne font jamais surface dans les annuaires des téléphones ou ceux du minitel, pour nous empêcher d'avoir connaissance de la véritable importance de leur progression.)
Je vous ai tendu l'inventaire et vous ai demandé de le lire. Vous avez répondu que vous n'attachiez pas d'importance à ce qui se trouvait dans la pièce. J'ai été obligée d'expliquer que l'inventaire m'était destiné. Votre signa-

ture, « Alda Dias de Corta », avec ses longues boucles et ses « a » fermés indiquait l'orgueil et le secret. Vous promettiez de ne pas endommager ni d'enlever sans permission un grand lit, deux oreillers et un traversin, deux couvertures, un dessus-de-lit en satin beige garni de passementerie en macramé de soie, une chaise longue de la même couleur, une armoire et une douzaine de cintres, une cheminée en marbre (décorative), deux paires de rideaux doublés et deux de voilages écrus, une commode en noyer avec quatre tiroirs, deux gravures encadrées représentant des cathédrales (Reims et Chartres), une table de chevet, une petite lampe avec un abat-jour en parchemin, un secrétaire Louis-XVI, une table de jeu pliante et quatre chaises, une glace à cadre en bois doré, deux appliques en fer forgé avec des bougies électriques et des ampoules en forme de flamme, deux tapis « persans » de taille moyenne, et un radiateur électrique qui fonctionnait efficacement depuis six ans mais que vous avez fait vieillir prématurément en le laissant allumé toute la nuit.

Robert a insisté pour que le petit déjeuner soit compris. Il ne voulait pas qu'on raconte dans tout l'immeuble que nous étions mesquins. Quelles quantités de café, de lait, de pain, de confiture d'abricot, de beurre et de sucre vous êtes arrivée à enfourner ! Et pourtant, vous êtes restée maigre comme un clou et votre grande tignasse réduisait encore votre figure.

Vous avez convenu de payer cinquante mille francs par mois pour le loyer de la chambre, son nettoyage, l'utilisation de la salle de bains, de l'électricité, du gaz (pour chauffer l'eau du bain et le café du matin), des draps et des serviettes de toilette propres une fois par semaine, et la clé de la porte d'entrée. Vous étiez censée faire la liste de vos appels téléphoniques et en régler le montant une fois par semaine. J'ai proposé de prendre les messages et de donner de bons renseignements sur vous à vos employeurs futurs. Le chiffre qui figurait sur le contrat n'était pas cinquante mille, bien sûr, mais cinq cents. Encore aujourd'hui, je compte en anciens francs, ceux que nous utilisions avant que le général de Gaulle décide d'enlever deux zéros, entraînant la confusion pour des générations à venir. Robert est obligé de faire ma déclaration d'impôt, sinon je m'alloue des appointements en millions. Il dit que j'ai disposé de plus de trente ans pour apprendre à déplacer deux décimales, mais un chiffre tel que « dix mille francs » me paraît plus consistant que « cent ». Je me rappelle l'époque où cent francs, c'était juste le prix d'un croissant.

Vous avez objecté que cinq cents francs, c'était beaucoup pour une chambre seulement. Vous aviez entendu parler de studios loués à six cents. Mais vous n'aviez pas six cents francs, ni cinq, ni même trois, et au bout d'un certain temps, j'ai repris ma chambre et je vous ai mise dans celle de Robert, tandis que lui continuait à dormir sur le canapé. Puis vous n'avez plus eu de francs du tout ; vous avez changé de lit avec Robert et l'avez parfois partagé avec lui, comme cela s'est révélé par la suite.

Cet arrangement — vous avoir dans le séjour — n'a jamais marché. Il était difficile de vous faire lever le matin et la pièce donnait l'impression d'être utilisée par cinq personnes, tout le temps. Nous avons emprunté un lit pliant que nous avons installé au fond du couloir, derrière un paravent, mais vous avez trouvé que ce coin était bruyant. Les voisins de dessus partaient pour le week-end, laissant leur chien. Le concierge le promenait deux fois par jour, mais le reste du temps, il geignait et aboyait ; la nuit, il grattait le plancher. Ceci se passait apparemment juste au-dessus de votre tête. Je vous ai prêté les boules Quiès dont mon mari s'est servi quand ses nerfs ont été en si mauvais état. Vous vous êtes plainte qu'avec les oreilles bouchées, vous entendiez battre votre cœur. A tout prendre, vous préfériez le chien.

Je me rappelle avoir dit : « Je crains que vous ne pensiez que nous sommes cruels envers les bêtes, mademoiselle Dias de Corta, nous autres Français, mais je vous assure que ce n'est pas le cas de tout le monde. » Vous avez protesté que vous étiez française aussi. J'ai demandé si vous aviez un passeport français. Vous avez répondu que vous n'en aviez jamais demandé. « Même pas pour aller rendre visite à votre famille ? » ai-je insisté. Vous avez expliqué que toute votre famille habitait Marseille. « Mais où sont-ils nés ? ai-je interrogé. D'où sont-ils originaires ? »

A cette époque, on ne parlait pas tellement de citoyenneté européenne. On pouvait se permettre de poser des questions.

Le couple au chien a déménagé au cours des années quatre-vingt. Maintenant, l'appartement est occupé par une femme avec de longs cheveux cuivrés, striés. Elle porte le même manteau en faux ocelot année après année. Certains pensent que l'homme avec lequel elle vit est son fils. Si c'est vrai, alors elle l'a eu à l'âge de douze ans.

Ce dont je souhaite vous parler a trait au présent : à la joie et à l'étonnement extrêmes que nous avons éprouvés en vous voyant hier soir dans le spot publicitaire pour un nettoyant à fours. Il est passé juste après les informations de vingt heures et avant le débat sur l'hépatite. Robert et Anny dînaient avec moi, sans les enfants : la mère d'Anny les avait emmenés à Euro Disney et les gardait jusqu'au lendemain. Nous venions de commencer le dessert — de la crème brûlée — quand j'ai reconnu votre voix. Robert s'est arrêté de manger et a dit à Anny « C'est Alda. Je suis sûr que c'est Alda. »

Votre visage a changé d'une façon indéfinissable, qui ne tient pas au passage du temps. Votre sourire semble plus éclatant et plus large ; vos cheveux sont courts et de cette teinte acajou qu'affectionnent souvent les actrices mûres. Les miens sont encore blonds cendrés, rejetés en arrière, de longueur moyenne. Alain, le styliste chez qui je vous ai envoyée, il y a tant d'années, leur a donné leur forme et leur couleur, une fois pour toutes, et je n'ai jamais touché à sa création.

Alain a souvent demandé de vos nouvelles après votre disparition, vous appelant affectueusement « la petite Carmencita », épluchant les programmes et les magazines de télévision, en quête d'un indice sur votre carrière.

Il pensait que vous aviez dû changer de nom, peut-être pour quelque chose de court et de facile à retenir. Je me rappelle comme vous avez pleuré et tempêté après qu'il vous a coupé les cheveux, en disant qu'il vous avait pris deux semaines de loyer et les avait tellement ratiboisés que vous ne pourriez auditionner pour aucun rôle à présent, si ce n'est celui de Hamlet. Alain a pris sa retraite, après avoir vendu son salon à Marie-Louise, une femme charmante et compétente. Elle a trente-sept ans et cherche désespérément à avoir un bébé. Il semble que ce soit sa faute à elle, pas celle de son mari. On lui fait un traitement hormonal et je prie qu'il ne lui arrive rien. L'idée d'une femme qui s'acharne à être mère doit vous paraître étrange, mais le salon lui procure une sécurité financière (bien qu'elle rembourse encore des traites à la banque). Le mari est expert en assurances automobiles.

Le cadrage de votre visage à la porte du four, vu comme si le spectateur était véritablement à l'intérieur, m'a paru original et astucieux. (Anny m'a signalé qu'elle avait vu le même procédé dans un spot pour les réfrigérateurs.) Je me suis demandé si le four était placé à une hauteur commode ou si vous étiez accroupie par terre. Tout ce que nous apercevions de vous, c'était votre visage et la main qui actionnait l'atomiseur. Vos ongles étaient admirablement laqués rouge cerise, sans la moindre fissure ni écaille. Vous nous assuriez que ce produit ne laissait pas d'odeur désagréable, ne s'infiltrait pas dans les aliments et ne faisait pas de tort à la couche d'ozone. Nous finissions d'absorber ces informations quand vous avez été remplacée par une image de bactéries, mortes ou moribondes, puis, sans transition, un homme vous a emmenée en Jaguar, toutes vos corvées domestiques étant oubliées.

Chaque mouvement de votre corps paraissait exprimer l'affranchissement du souci. Ce que je distinguais de votre front, en partie dissimulé par les mèches couleur acajou, semblait lisse, sans rides. Ce n'est que justice, car moi j'ai eu une enfance heureuse, un mari merveilleux, un fils superbe, et je me rappelle certaines des choses que vous avez racontées à Robert au sujet de votre prime jeunesse. Il avait tout juste vingt-deux ans et se laissait facilement apitoyer.

Anny nous a rappelé la date exacte où nous vous avions vue pour la dernière fois : le 24 avril 1983. C'était dans un téléfilm où il s'agissait de deux amies, « Virginie » et « Camilla », de comment elles rencontraient deux hommes intéressants mais très différents et les accompagnaient en vacances à Cannes. L'un des hommes était un chanteur célèbre dont la femme (qui ne paraissait pas) l'avait quitté pour quelque raison égocentrique (qui n'était pas expliquée). L'autre était architecte et jouissait d'appuis politiques. Le chanteur ignorait que l'architecte avait eu recours à la corruption et au chantage pour obtenir des contrats officiels. Dès le départ, vous vous étiez trompée en choisissant l'architecte, après avoir rejeté le chanteur à cause de sa timidité et de son manque d'aisance en société. « Virginie », elle, choisissait le chanteur. Il s'avérait qu'elle n'en avait jamais entendu parler et ignorait qu'il avait vendu des millions de disques. Elle s'occupait de déshérités dans une région montagneuse reculée, où la réception des ondes est mauvaise.

Anny a trouvé cette partie-là de l'histoire difficile à croire. Comme elle l'a dit, même les villages des Alpes les plus perdus sont équipés pour accueillir le tourisme d'hiver, et les skieurs ne séjournent pas dans des endroits où on ne peut pas regarder la télévision. Quoi qu'il en fût, le chanteur était captivé par « Virginie » et ils restaient assis tous les deux, sous l'éclairage tamisé du bar de l'hôtel, à comparer leurs opinions et leurs principes.

Pendant ce temps, vous vous trouviez à l'étage, dans une suite remplie de fleurs, en train de faire l'amour éperdument avec l'architecte. Puis vous vous disputiez méchamment tous les deux, à cause de son indifférence foncière à la réalité du monde, vous saisissiez un bouquet de roses dans un vase et vous le lui jetiez à la figure. (J'ai reconnu là votre tempérament emporté.) Il enlevait de son torse nu une feuille arrachée, empoignait le téléphone et annonçait : « Madame quitte l'hôtel. Veuillez faire prendre ses bagages. » La scène suivante vous montrait sur le bord d'une route, en train de faire du stop pour aller à l'aéroport. L'architecte vous avait donné un billet d'avion mais pas de quoi prendre un taxi.

Il n'y avait pas longtemps qu'Anny et Robert étaient mariés, mais elle avait entendu parler de vous et connaissait la place que vous occupiez dans nos mémoires. Elle avait compati à votre situation lamentable en estimant qu'elle n'était pas méritée. Vous vous étiez montrée objective et aimante et un mot gentil (de la part de l'architecte) aurait pu vous rallier à son point de vue. Elle s'était demandée si c'était votre propre vie que vous interprétiez et si l'incident à Cannes s'intégrait à un modèle de comportement. Nous étions incapables de le dire, du fait que vous aviez disparu de nos vies dans les années soixante-dix. A mon point de vue, vous ne paraissiez pas vraiment faite pour ce rôle. Vous aviez l'air trop vif et intelligent pour vous trouver à traînasser sans vêtements, bombardant de fleurs un homme nu, alors que vous auriez pu être en train d'enfiler une robe de couturier avant d'aller dîner en ville. Robert, qui n'avait dit mot, a commenté : « Alda a toujours été difficile à distribuer. » C'était une remarque qui devait être tirée d'une ancienne conversation de café, au temps où il fréquentait encore des acteurs. J'avais prévenu Anny qu'il ne serait pas facile à vivre. Elle l'avait pris de confiance.

Mon mari avait tendance à prendre les gens de confiance, lui aussi, et il est mort désabusé. Un jour, je vous ai fait voir l'endroit, place d'Italie, où se trouvait notre restaurant, autrefois. Après que nous avons dû le vendre, il est devenu pizzeria, puis commerce de produits diététiques. Ce qu'il est maintenant, je n'en sais rien. Quand je passe, je regarde ailleurs. Comme vous, il s'est trompé sur la personne.

Elle venait déjeuner régulièrement ; c'est son mari qui parlait tout le temps, car elle était aussi silencieuse qu'Anny. Lui semblait mêlé aux opérations immobilières autour de la porte de Choisy et à cette extrémité-là de l'avenue. Les Chinois s'installaient aussi vite que les constructions étaient mises sur le marché ; ils tenaient leurs promesses, payaient leurs factures : l'investissement semblait judicieux. Il s'est passé quelque chose. La femme a disparu et le mari s'est retiré dans cette station balnéaire au Portugal où vivaient jadis toutes les têtes couronnées en exil. Le Portugal est une coïncidence : je ne suggère aucun rapprochement avec vous, votre famille ou vos concitoyens. Si nous devons mettre sur pied l'Europe du vingt et unième siècle, il faut que nous fassions preuve de confiance mutuelle et que nous prenions nos espérances frustrées comme elles viennent.

Ce que j'ai particulièrement admiré hier soir, c'est la façon dont vous avez prononcé « ozone ». Où en seriez-vous si je ne vous avais pas harcelée au sujet de vos « o ». Dites « arôme », insistais-je, pas « arum ». En vous regardant partir dans la Jaguar, je me suis demandé si vous aviez une pensée pour la vieille Renault de Robert. Le jour où vous êtes partis ensemble, après l'unique dispute que j'aie jamais eue avec mon fils, il a jeté votre valise sur la banquette arrière. Elle s'y trouvait encore le lendemain quand il est revenu, seul. Plus tard, il a dit qu'il ne l'avait pas remarquée. Vous aviez passé la nuit dans la voiture tous les deux, car vous, vous n'aviez pas d'argent et nulle part où aller. Il y avait à peine la place de s'asseoir. Il a une Citroën BX maintenant.

J'avais été la première à repérer votre état. Vous étiez convoquée rue des Rosiers, chez un grossiste qui recrutait des jeunes filles pour présenter ses modèles pendant six jours, et vous n'aviez rien à vous mettre sur le dos. Je vous ai donné une de mes robes qu'il a fallu reprendre, évidemment. Vous étiez plus maigre que jamais et vous n'aviez plus d'appétit au petit déjeuner. Vous pensiez que c'était la confiture d'abricots qui vous rendait malade. (Je vous ai acheté du miel de Provence, mais vous l'avez vomi aussi.) J'avais fini de faufiler les coutures et j'étais à genoux, en train d'épingler l'ourlet quand subitement j'ai posé la main à plat sur le devant de la jupe et j'ai demandé : « A quel mois en êtes-vous ? » Vous avez fondu en larmes et vous avez dit quelque chose que je ne répéterai pas. J'ai repris : « Vous auriez dû réfléchir à tout cela plus tôt. Je ne peux rien faire pour vous. C'est illégal et, en plus, je ne saurais pas où vous envoyer. »

Après la nuit passée dans la Renault, vous êtes allés dans un café, pour que Robert puisse se raser aux toilettes. « Pourquoi n'engages-tu pas la conversation avec cette femme à la table voisine ? a-t-il suggéré. On a l'impression qu'elle doit savoir. »

Effectivement, quand il est revenu quelques minutes après, vous vous étiez tournée vers l'inconnue. Elle a écrit quelque chose sur un vieux ticket de métro (la solution, en toute probabilité) et vous l'avez rangé dans votre sac à main, à côté du diplôme, peut-être.

Vous lui avez paru impatiente, optimiste, animée, comme si vous aviez en vue une perspective meilleure que les six jours de présentation de mode ou la solution de votre problème immédiat ou même un nouveau style de vie — meilleur que celui que vous pouviez vous offrir mutuellement. Il s'est dirigé tout droit vers la rue, sans s'arrêter pour parler, et il est rentré à la maison. Il a refusé de me dire un seul mot, s'est changé, puis il est parti pour la journée. Une journée comme n'importe quelle autre, d'une certaine manière.

Nous sommes restés assis en silence après la fin du spot. Puis Anny s'est levée pour débarrasser le dessert, que personne n'avait terminé. Le débat sur l'hépatite était déjà bien engagé. Six ou sept hommes que leurs cols et leurs cravates semblaient étrangler étaient réunis autour d'une table ronde, tous en train de hurler. Le présentateur de l'émission n'était plus maître de la situation. Un des hommes criait plus fort que les autres, pour dire qu'il y avait des gens qui avaient vraiment envie d'être malades. Si importantes que soient les sommes investies dans les services de santé, elles ne pouvaient pas guérir leurs pulsions confuses, dont certaines étaient aussi nocives que n'importe quelle maladie. Anny, qui était restée debout, a coupé le son (son seul geste d'impatience), et nous avons regardé les participants ouvrir et fermer la bouche. D'une voix douce, elle a dit que la vie n'était qu'un long devoir, que rien ne vous était donné. Elle pensait souvent à la sienne et était arrivée à la conclusion qu'elle ne saurait que par la réincarnation ce qu'elle aurait pu être ou quelles entreprises importantes elle aurait pu réaliser. Elle a un tempérament suisse. Quand elle parle, ce sont ses gènes qui s'expriment.

Je pensais toujours que vous reviendriez chercher la valise. Elle est restée ici, sur une étagère haute dans le placard du vestibule. Nous avons regardé à l'intérieur, non par indiscrétion, mais au cas où vous y auriez mis quelque chose de périssable, comme un sandwich. Il y avait un fouillis de vêtements en coton, une paire de sandales usées et des robes que j'avais épinglées et faufilées pour vous, que vous n'avez jamais cousues. Ou cousues à si grands points, si lâches, que les coutures se sont défaites. (Je vous avais aussi donné une jaquette avec un col brodé de style tyrolien. Je crois que c'est ce que vous portiez quand vous êtes partie.) Le premier jour, quand j'ai dit que votre valise ne pesait guère plus qu'une plume, vous en avez été vexée et avez rétorqué : «Je suis petite et je porte des petites tailles.» Vous aviez l'air d'avoir environ quinze ans; vos dents étaient en mauvais état et vous vous teniez très mal.

La somme que vous deviez s'élevait à cent cinquante mille francs, ou, comme vous préféreriez sans doute l'exprimer, mille cinq cents. Pendant de longues années, le cours de l'inflation était de douze pour cent, mais je pense que sur les décennies, elle a dû s'équilibrer à dix. Je fonde mon raisonnement sur le fait qu'en 1970, six œufs valaient un nouveau franc, tandis qu'aujourd'hui, ils en coûtent neuf ou dix. Quant aux intérêts, je crains qu'il ne soit impossible de les calculer après tant de temps. Ils dépendraient de l'année et des caprices de telle ou telle banque. Il y a eu plus de premiers ministres, de budgets annuels, d'annonces désagréables et de modifications des impôts que je ne saurais en compter. En fait, je ne souhaite pas toucher d'intérêts. A dire vrai, je ne souhaite que le plaisir de vous voir et d'entendre de votre bouche ce dont vous êtes fière et ce que vous regrettez.

Mon seul regret à moi, c'est que mon mari n'ait jamais voulu me permettre de donner un coup de main au restaurant. Il voulait que je reste à la maison pour lui créer un refuge agréable et m'occuper de Robert. Ses parents avaient trimé dans leur bistrot, à essayer de contenter des gens gourmands et difficiles qu'il était impossible de satisfaire. Il ne désirait pas que son fils unique fasse ses devoirs dans quelque coin obscur entre le bar et la porte de la cuisine. Mais j'aurais pu me tenir derrière le bar pendant que Robert faisait ses devoirs et le surveiller (au lieu qu'il soit dans sa chambre, la porte fermée à clé.) J'aurais pu apprendre à manipuler l'argent et les chèques, à calculer les pourboires en francs nouveaux, et j'aurais pu voir venir les ennuis et prendre des mesures.

Je chantais beaucoup quand j'étais seule. Je ne savais pas lire la musique, mais je pouvais imiter tous les enregistrements que j'entendais lorsqu'ils convenaient à ma voix, des airs de Delibes ou de Massenet. Mes muses étaient Lily Pons et Ninon Vallin. Vous n'en avez probablement jamais entendu parler. Elles étaient d'une autre époque et traditionnellement françaises.

Selon Anny et Marie-Laure, la mode des années soixante-dix revient. Anny ne s'achète jamais rien, mais Marie-Laure a plusieurs tenues neuves à jupes un peu drapées, avec des jaquettes à motifs folkloriques, assez semblables aux vêtements que je vous ai donnés. Si vous le voulez, je pourrais retoucher tout ce qu'il y a dans la valise pour convenir à vos exigences sociales et professionnelles. Nous pourrions reprendre la vie là où elle s'est interrompue, quand j'étais à genoux, en train d'épingler l'ourlet. Nous pourrions dire des choses simples qui rendent la vie moins cruelle, comme le fait Anny. Vous pouvez venir chercher la valise n'importe quel jour, à n'importe quelle heure. Je suis levée et habillée à sept heures et demie, et dès neuf heures moins le quart, je suis prête à recevoir les hôtes inattendus. A présent, il y a un ascenseur : vous n'aurez pas à monter les cinq étages à pied. A l'entrée de l'immeuble, vous allez trouver un digicode. Le numéro qui vous permettra d'entrer est K630. Prenez garde de ne laisser entrer personne qui ait l'air louche ou menaçant. Si un inconnu essaie de vous bousculer et de passer juste au moment où vous ouvrez la porte, demandez-lui ce qu'il veut et le nom du locataire qu'il vient voir. Il n'essaiera probablement pas de vous donner une réponse plausible et sera effarouché.

La concierge que vous avez connue est encore restée quinze ans, puis elle a pris sa retraite chez sa fille mariée en Normandie. Nous avons voté qu'elle ne soit pas remplacée. Les employés d'une entreprise de nettoyage viennent deux fois par mois. Ce ne sont jamais les mêmes, si bien qu'on ne fait pas connaissance. Cela évite d'avoir à donner des étrennes et les odeurs de cuisine ne se répandent plus dans tout le rez-de-chaussée, mais le sentiment de sécurité nous manque. Vous vous souvenez peut-être que Mme Julie était sur le qui-vive, surveillant toutes les allées et venues. Maintenant, personne ne vous apporte le courrier, ne sonne à la porte, ne s'assure que vous êtes encore en vie ; vous remarquerez les boîtes aux lettres dans l'entrée. Certains des locataires âgés ne veulent pas mettre leur nom sur la boîte, seulement leurs initiales. A leur avis, le nom ne regarde personne. Le facteur les connaît, mais l'été, quand c'est un remplaçant qui fait la tournée, il se contente de jeter les lettres par terre. Les gens se plaignent continuellement. Il y a peu de temps, un intrus a arraché deux ou trois boîtes du mur.

Vous ne trouverez aucun changement dans l'appartement. L'inventaire que vous avez signé autrefois reste valable, si l'on efface les mots « radiateur électrique ».

N'envoyez pas de chèque, ni, à vrai dire, aucun message. Vous n'avez pas besoin d'appeler pour prendre rendez-vous. Je préfère vivre en espérant entendre l'ascenseur s'arrêter à mon étage, puis votre coup de sonnette, et que vous me disiez que vous êtes revenue à la maison.

L'enfant Fenton

1

C'est dans une longue salle remplie de berceaux et de bébés non-désirés que Nora Abbott aperçut Neil pour la première fois, Neil qui appartenait à Mr et Mrs Boyd Fenton. Cet enfant avait trois mois, mais il était malingre pour son âge, avec un visage de vieillard qui aurait perdu le contact avec ce qui l'entoure. La chemise et les chaussettes grossières dont les religieuses l'avaient affublé ne paraissaient pas de la première fraîcheur. Quatre grosses épingles de nourrice maintenaient un lange râpeux et volumineux. Sa literie — la nursery tout entière, à vrai dire — sentait l'ammoniaque, le savon au phénol, et, d'une façon obscure, la détresse.

Nora avait dix-sept ans et ne savait toujours pas si elle aimait les enfants ou si elle les voyait comme faisant partie du destin d'une catholique. S'il fallait qu'ils arrivent, alors, qu'ils aient l'œil clair et un parfum de talc, qu'ils soient affectueux et prompts à apprendre. Les yeux du bébé Fenton étaient d'un gris opaque, fixés avec tant de raideur qu'elle se dit : il est aveugle. Ils ne m'ont pas prévenue. Mais comme elle se penchait tout près au-dessus de lui en se demandant s'il se pouvait que son regard change, les peignes sur ses tempes glissèrent et elle le vit s'intéresser aux vagues de cheveux bruns qui tombaient, l'enfermant. Ainsi, il percevait les choses. Pour le reste, il ne changeait pas de position, aussi immobile qu'une poupée, les deux poings serrés.

Oui, comme une poupée, mais pas une poupée séduisante : aucune petite fille n'aurait été heureuse de le trouver sous un arbre de Noël. A la pensée d'un jouet repoussé et laissé à l'abandon, Nora fut profondément émue. Elle le sortit de son berceau, prévoyant — sans toutefois se le préciser — qu'il aurait la mollesse d'un animal en peluche couvert de laine, un agneau, mettons, mais il était raidi et résistant, un soldat de bois, tendu jusqu'au dernier centimètre. Elle le cala contre son épaule, la tête à côté de sa joue, en lui disant : « Là, là, petit. Tu es superbe. Tu es un petit garçon superbe. »

A l'exception d'une frange de duvet autour de son front, il était complètement chauve. Il avait dû passer sa vie tout entière, les trois mois de sa vie, couché à plat sur le dos, avec le frottement de l'oreiller qui faisait tomber ses cheveux.

Dans un passage étroit entre les rangées de lits, Mr Fenton et un médecin canadien français se tenaient nonchalamment. En fait, le docteur Alex Marchand était un copain de régiment de Mr Fenton, d'un régiment de Montréal. Ce qu'ils avaient en commun, c'était la récente guerre et la campagne d'Italie.

Mr Fenton paraissait satisfait de l'état et de l'aspect de son fils. (De sa main libre, Nora tira ses cheveux en arrière pour qu'il puisse voir le bébé entièrement.) Les hommes semblaient ne prêter aucune attention au reste de la pièce : la soixantaine de nourrissons chétifs, l'adolescente d'environ quatorze ans, à la grossesse avancée, qui encaustiquait le plancher à quatre pattes, ni la religieuse qui restait là aux aguets pour s'assurer qu'ils ne partent pas avec un autre enfant que le leur. Les cheveux de la fille enceinte avaient été tondus ras. Elle était vêtue d'un uniforme brun grisâtre à manches longues et de bas noirs, rêches d'aspect. Elle ne leva pas une seule fois la tête.

Bien que cette matinée de fin d'été fût chaude et humide, un temps de Montréal typique, l'air une vapeur lourde, les hommes portaient des costumes trois-pièces sombres et gardaient leur veston, absolument solennels et boutonnés. Le docteur tenait un panama à la main ; Mr Fenton avait orné son revers d'un œillet, cueilli dans le bouquet qu'il avait présenté en bas à la Mère Supérieure, quelques minutes auparavant.

Sa façon un peu audacieuse d'aborder les personnes dont il faisait la connaissance parut plaire. En l'accueillant, les religieuses avaient été tout sourire, acceptant sans un nuage sa présence allogène, son ignorance suffisante du français, ses péchés masculins assumés légèrement. Son haleine aux relents d'alcool avait de quoi faire tomber la Mère Supérieure à la renverse (lui se tenait parfaitement droit) mais elle supposait peut-être que cela faisait partie de l'aura naturelle des hommes.

« Eh bien, Nora ! dit Mr Fenton, bien plus fort que n'était nécessaire. Vous l'avez, votre bébé. »

Que voulait-il dire ? En principe, une nurse qualifiée était censée arriver d'Angleterre. Nora la remplaçait en attendant, par gentillesse, voilà tout. Il se comportait comme s'ils se connaissaient depuis des années ; il avait même proposé qu'elle l'appelle « Boyd ». (Elle avait feint de ne pas l'entendre.) Son tempérament enjoué semblait exiger des femmes une sorte de complicité ou de camaraderie simulées, à bref délai. C'était lui qui en avait besoin, pas Nora, et elle se prit à tout refuser mentalement. Elle rendait service parce que son père, qui connaissait Mr Fenton, lui avait demandé de le faire, rien de plus. Mr Fenton avait près de trente ans, c'était un homme marié, un père, un genre de protestant — une autre race.

Heureusement, ni la fille en uniforme ni la religieuse présente ne paraissaient savoir l'anglais. Sinon, elles auraient pu supposer que Nora était la mère de Neil. Elle ne pouvait être la mère de personne. Elle n'avait jamais laissé un homme s'approcher si peu que ce fût. Si elle le faisait, si un jour elle se sentait prête, il ne ressemblerait en rien à Mr Fenton, un Anglais de Montréal typique, tout en démonstrations d'amitié, de ceux qui disent : « Ravi de vous rencontrer » et oublient que vous existez dans la minute qui suit. Elle ne se faisait toujours aucune idée d'un amant (ce qui signifiait mari) acceptable, mais plutôt de ceux qu'elle avait l'intention d'éviter. Pour le moment, cela comprenait à peu près l'ensemble des types et des classes. Ce que sa mère appelait « avoir des rapports » était source d'histoires cochonnes pour les hommes et de déshonneur pour les jeunes filles. Cela attirait même le malheur sur des couples mariés, à moins que, comme les Fenton, ils aient la chance d'avoir des moyens, qu'ils sachent comment éviter les accidents et n'aient aucune barrière religieuse qui les empêche de faire usage de leurs connaissances. Quand, malgré tout, une erreur survenait — à savoir, Neil —, ils ne manquaient pas d'argent, ni de place. Cependant, ils étaient désarmés de quelque autre façon, incapables de s'occuper d'un nourrisson sans aide extérieure : c'est pour cette raison qu'ils avaient laissé Neil sombrer au milieu d'exclus pendant les douze premières semaines de son existence.

Telles étaient les réflexions de Nora tandis qu'elle caressait doucement le dos du bébé. Elle se demanda s'il avait réussi à deviner ses pensées. Les bébés viennent apparemment au monde avec un don pour la télépathie, un instinct qui s'évanouit dès qu'ils commençent à saisir le sens des mots. Feu sa tante Rosalie, mère de quatre enfants, lui avait affirmé que c'était vrai.

Le moment était venu de sortir l'enfant de cet endroit rébarbatif, de veiller à ce qu'il soit nourri, lavé, habillé de neuf et couché dans un lit propre. Mais les deux hommes ressemblaient à des invités dans une réception lamentable, incapables de s'en aller, cloués sur place par un désir purement social de paraître aimables.

Qu'ils ont l'air cruche tous les deux! pensait Nora. Aussi cruche qu'une paire de ténors. (« L'air cruche comme un ténor », c'était une expression qu'employait son père.) Je ne me marierai jamais. Qui a envie de regarder un visage de cruche toute la journée ?

Comme s'il avait entendu chaque parole muette et cherchait à démontrer qu'il savait être vivant et attentif, le docteur promena son regard sur l'ensemble de la salle, pour la première fois, et dit : « Certains de ces enfants, il vaudrait mieux pour tout le monde qu'ils meurent à la naissance. » Son anglais était correct, presque sans accent, mais il avait le rythme chantant du français de Montréal. Cela donnait : « Certains de ces en*fants*, il vaudrait mi*eux* pour tout le *monde*... » Nora avait du mépris pour cette cadence-là. Son éducation s'était faite en deux langues. Pour que Nora réponde en français, surtout après qu'elle fut entrée dans un lycée anglais, sa mère faisait semblant de ne pas comprendre l'anglais. Je ne suis peut-être pas une intellectuelle, décida Nora (chose que son père affirmait volontiers), mais en anglais, je donne l'impression d'être anglaise et en français, française. Elle savait que c'était mal de sa part de critiquer un homme instruit comme le docteur Marchand, mais il avait dit quelque chose d'affreux. Exprimé avec circonspection par le roi lui-même, cela aurait paru détestable. (Le roi, ce matin d'août, était encore George VI.)

L'effet des alcools bien tassés que Mr Fenton avait consommés au début de la journée devait s'être atténué. Il avait l'air absent et quelque peu dépassé. L'observation du docteur le ranima. Il manifesta l'intention de s'en aller, se tourna tranquillement vers la religieuse et lui fit un large sourire. En réponse, elle lui mit un document plié entre les mains, dit froidement « *Au revoir* »[1] au docteur et ne regarda pas Nora du tout. Une fois sorti dans le vestibule, Mr Fenton s'arrêta net. Il sollicita l'attention du docteur et de Nora : « Regardez ce truc. »

Nora fit passer le bébé sur son bras droit mais resta à distance. « C'est un certificat, dit-elle.

— De baptême, ajouta le docteur. Il a été baptisé.

— Je le vois bien, seulement il est établi au nom d'Armand Albert Antoine. Ce n'est pas le bon. Il vaut mieux que vous le leur disiez », car il n'aurait évidemment pas pu formuler la plainte en français.

« Ce sont simplement des noms d'enfants trouvés, expliqua le docteur. Ils donnent deux ou trois prénoms quand on ne connaît pas la famille. J'en ai même vu *quatre*. On pourrait prendre "Albert" ou "Antoine" comme nom de famille. Vous comprenez ?

— Il y a bel et bien une famille connue, répliqua Mr Fenton. La mienne. Le nom, c'est Boyd Neil Fenton. Quand je me décide, ma décision tient bon. Je ne reviens jamais dessus. »

Mais au lieu de rendre le certificat, il le fourra, roulé en boule, dans une poche. « Personne n'a demandé qu'on le baptise ici. Je qualifie cela d'abus de pouvoir.

— Elles sont obligées de le faire, dit le docteur. C'est une règle. » Du ton de quelqu'un qui essaie d'apaiser une

1. En français dans le texte.

querelle, il poursuivit : « Neil, c'est un beau nom. » Nora avait la certitude que c'était lui qui l'avait proposé. Mr Fenton n'avait pas réussi à trouver un nom, bien qu'il ait eu trois mois pour y réfléchir. « Il y a un autre nom que j'aime. "Earl". Tu te rappelles Earl Laine ?

— Ouais, je me rappelle Earl. » Ils se mirent à descendre le large escalier, à trois de rang. Mr Fenton avait le visage congestionné, soit en raison de l'éclat qu'il avait fait, soit simplement à cause de la chaleur et du poids de ses vêtements sombres. Nora aurait pu compatir, mais elle avait déjà décidé de ne pas le faire : il fallait supporter ce qu'on ne pouvait empêcher.

Sa mère l'avait obligée à mettre une veste de coton à manches longues par-dessus sa robe en piqué blanc, une gaine et des bas, à cause des religieuses. La robe était courte et découvrait les genoux. Nora avait refusé de lâcher l'ourlet pour cette seule visite. Sa petite montre en or était un cadeau de son oncle et de ses cousins à l'occasion de la fin de ses études secondaires. Le semainier bleu qu'elle portait à l'autre poignet avait appartenu à sa sœur aînée.

L'allusion à Earl Laine avait lancé les hommes sur une anecdote de la dernière guerre. Elle avait déjà remarqué que leurs histoires de guerre les faisaient rire. Ce n'était pas des histoires, à proprement parler, mais des incidents qu'ils connaissaient par cœur et se racontaient mutuellement. Il apparut que le Earl en question était entré dans une ferme en Italie (à vrai dire, le terme qu'employa Mr Fenton était « bicoque ») et avait arraché le matelas d'un lit. Il le voulait pour son char d'assaut, pour le rendre plus confortable. Une femme toute vêtue de noir l'avait suivi jusqu'à la porte, s'agrippant au matelas en poussant des cris stridents. Quand elle avait vu qu'il n'y avait rien à faire, qu'Earl était plus grand et plus fort et qu'il n'arrêtait pas de rire, elle s'était couchée sur la route, puis elle avait frappé le sol de ses poings.

« Cet Earl ! dit le docteur, comme on parlerait d'un enfant insupportable mais charmant. Il faisait n'importe quoi. Tout ce dont il avait envie. Un autre jour...

— Il a été tué en 44, l'interrompit Mr Fenton. C'est cela ? Alors quel âge ça lui ferait aujourd'hui ? »

Nora trouva la question très stupide, comme une devinette arithmétique, mais le docteur répondit : « Il aurait dans les vingt-trois ans. » Le docteur Marchand était plus âgé que Mr Fenton, mais beaucoup plus jeune que son père à elle. Il marchait d'un pas majestueux, mesuré, comme une personne qui suit un cortège funèbre. Il avait un air de père de famille. Il portait une alliance, à la différence de Mr Fenton. Nora se demanda si Mrs Fenton et Mme Marchand s'étaient jamais rencontrées.

« La famille d'Earl habitait Montréal Nord, ajouta Mr Fenton. Je suis allé les voir quand je suis rentré. C'étaient des Italiens. Tu le savais ? Lui ne l'a jamais dit.

— Moi, je l'ai su dès qu'il a ouvert la bouche. Il parlait un anglais incorrect. En fait, sa langue maternelle était un dialecte sicilien quelconque de Montréal Nord. En Italie, personne ne le comprenait, c'est pourquoi il s'en tenait à l'anglais. Mais c'était une drôle de langue.

— Pas pour moi, affirma Mr Fenton. C'était du canadien, pur et simple. »

Le docteur venait de se révéler homme de grande culture. Il comprenait de multiples dialectes et langues et connaissait chaque millimètre de Montréal mieux que Nora ou Mr Fenton. Il était capable de reconstituer le milieu d'un homme à l'entendre parler. Non, non, il ne fallait pas le rejeter, quoiqu'il ait dit ou puisse encore proférer. Tel fut le sentiment de Nora.

Au rez-de-chaussée, ils suivirent un couloir sombre,

encaustiqué, qui menait à la porte d'entrée, en passant devant une chapelle qui venait récemment d'être libérée. La porte à deux battants, grande ouverte, exposait aux regards un autel irradié de soleil. Les œillets antipapistes (Nora les qualifia ainsi sans rancune) de Mr Fenton étaient installés dans un vase en cristal taillé qui diffusait des arcs-en-ciel. Une forte odeur d'encens accompagna les visiteurs jusqu'au lieu d'accueil, où elle se mêlait à l'encaustique.

« Est-ce un jour particulier ? » demanda Mr Fenton. Il y eut un blanc dans la longue liste d'informations catégoriques du docteur. Il fixa une horloge à chiffres romains accrochée au mur. Seule importait l'heure, semblait-il se dire. Nora se trouvait savoir qu'aujourd'hui, 23 août, était la fête de sainte Rose de Lima, mais elle ne se rappelait pas comment avait vécu ni était morte sainte Rose. La tante Rosalie de Nora, décédée en laissant trois fils, une fille et le triste oncle Victor, s'était, de son vivant, adjugée toutes les saintes du calendrier dont le nom se réfère à Rose : pas seulement sainte Rosalie, dont la fête le 4 septembre lui revenait de droit, mais également sainte Rosaline (en janvier), sainte Rosine (en mars) et Rose de Lima (ce jour-là). Cela n'expliquait pas la messe spéciale de ce matin ; de toute façon, Nora aurait pensé que ce n'était pas bien d'apporter une réponse que le docteur était incapable de fournir.

Bien que quelqu'un fût posté en permanence à la porte d'entrée pour s'assurer que personne d'étranger aux lieux ne puisse pénétrer, une autre religieuse, beaucoup plus âgée, avait été dépêchée pour les accompagner jusqu'à la sortie. Elle se tenait juste en dessous de l'horloge, les deux mains appuyées sur une canne, le dos droit comme un i. Ses yeux avaient conservé un peu de cette lumière bleu-vert qui s'associe souvent aux cheveux roux. En toute probabilité, la pauvre femme ne devait plus avoir beaucoup de cheveux et les quelques mèches qui lui restaient étaient forcément ternes et grises. Les cheveux des religieuses disparaissaient tôt, faute d'air et de lumière. La sœur de Nora, Géraldine, avait les mêmes yeux bleu-vert, mais pas encore de cerne blanc autour de l'iris. Elle était actuellement en train de réprimer et de dissimuler ses cheveux, et aucune voix ne s'élevait pour dire que c'était malheureux, que ses cheveux étaient sa caractéristique la plus éblouissante. Alors le processus suivrait son cours, à moins que Géraldine ne change d'avis, revienne à la maison et permette à Nora de lui faire un shampooing avec du savon blanc pur à l'huile d'amande douce, suivi d'un rinçage au vinaigre. Elle aurait besoin de rester assise à la fenêtre de la cuisine et de laisser le soleil du matin rendre ses cheveux éclatants et vigoureux jusqu'aux racines.

La vieille religieuse s'adressa à Mr Fenton : « Vos belles fleurs sont l'ornement de notre petite chapelle. » Tout au moins est-ce ainsi que le docteur Marchand décida de traduire ses paroles. Nora en aurait fait : « Vos fleurs sont dans la chapelle », mais cela aurait paru brusque : sans doute qu'« ornement » était plus agréable aux oreilles de Mr Fenton.

« Cela fait plaisir à entendre », dit-il. Une vibration du rire déclenché par l'histoire d'Earl et du matelas était encore perceptible dans sa voix. Nora avait peur qu'il donne une petite tape sur la joue de la religieuse ou qu'il les plonge dans l'embarras de quelque autre façon, mais il se contenta de jeter un coup d'œil à l'horloge, puis à sa montre, et de faire une courbette un peu théâtrale, non par dérision mais pour montrer qu'il ne se trouvait pas dans son milieu habituel et qu'il pouvait se permettre un geste destiné à l'effet.

L'horloge sonna la demie : midi trente. Ils auraient dû

se trouver à table, en train de déjeuner chez Mr Fenton, en compagnie de son épouse et de Mrs Clopstock, la mère de sa femme. Nora n'avait jamais été invitée à un repas chez des inconnus. C'est en honneur de cette manifestation d'hospitalité bouleversante qu'elle portait des boucles d'oreilles blanches, des chaussures blanches à talons hauts et les bracelets que sa sœur avait abandonnés.

Dans la rue, accablés par la lumière dure de midi, ils restèrent silencieux un certain temps, puis le bébé se mit à vagir faiblement, le premier message qu'il adressât à Nora. Je sais, lui dit-elle. Tu as faim, tu as chaud. Tu as besoin d'un bon bain. Tu n'aimes pas qu'on te trimballe. (L'espace d'un instant, elle perçut la ligne de partage si ténue entre être sauvé et être capturé. L'idée était trop complexe, elle n'avait ni fin ni commencement, aussi la laissa-t-elle filer.) Tu t'es sali, en plus. Pour tout dire, tu pues abominablement. Ça ne fait rien. Nous allons tout arranger.

Pour essayer de le calmer, elle lui donna un de ses doigts à sucer. Il valait mieux qu'il avale quelques microbes et bactéries que pleurer à s'en rendre malade.

Mr Fenton s'était garé à l'ombre, au coin de la rue. Il n'y avait pas loin à marcher.

« Nora ne peut pas se rappeler la guerre, dit-il au docteur, mais s'adressant à elle en réalité, tentant de nouveau l'approche "copain". Elle devait être au berceau.

— Je sais qu'elle est finie, répliqua-t-elle, pensant en terminer avec ce sujet.

— Ah, elle l'est, c'est vrai. » Il semblait le regretter, à peu près autant qu'il pût regretter quoi que ce fût.

Le docteur avait remis son panama, après trois tentatives pour l'incliner à son goût. Sa présence sur la banquette avant était rassurante : massif, fiable, rien ne le renverserait. Le père de Nora était aussi maigre et léger qu'une feuille qui vole au vent.

«Il y a un autre nom qui me plaît, dit le docteur. Desmond.

— Des?» interrogea Mr Fenton. Il enleva avec difficulté son veston et son gilet et les jeta sur la banquette arrière, à côté de Nora. Son œillet blanc tomba par terre. Le docteur, lui, garda son veston, entièrement boutonné. «Butler?

— Il a épousé une Anglaise, indiqua le docteur Marchand. Tu te rappelles?

— Si je me *rappelle*? J'étais témoin. Elle a pleuré tout le temps. Elle s'appelait Beryl, non, Brenda.

— Eh bien, elle était enceinte.

— Elle est retournée en Angleterre aussi sec. Il avait fallu que les contribuables canadiens payent pour la faire venir; personne n'a jamais compris comment elle avait trouvé l'argent pour rentrer. Même Des n'en avait aucune idée.

— Des n'avait jamais aucune idée. Il ne savait pas ce qu'il aurait dû savoir; tout ce qu'il a remarqué, c'est qu'elle avait grossi depuis la dernière fois qu'il l'avait vue.

— Elle est arrivée avec un polichinelle dans le tiroir, dit Mr Fenton. Quatre, cinq mois. Alors...» Il porta son attention sur Nora. «Ton père a été outre-mer, Nora?

— Il a essayé.

— Et puis?

— Il avait déjà trente-neuf ans et deux enfants. On lui a dit qu'il serait plus utile en restant au travail.

— Nous avions aussi besoin de civils, déclara Mr Fenton, se montrant généreux. Deux, avez-vous dit? Ray a deux enfants?

— Il y a ma sœur, Gerry, Géraldine. Elle est novice maintenant, dans les Laurentides.

— Où ça ? » Il tourna le rétroviseur pour la voir.

« Près de St.-Jérôme. Elle se prépare à devenir eligieuse. »

Cela lui cloua le bec, provisoirement. Le docteur leva e bras et tourna le miroir dans l'autre sens. Pendant qu'ils parlaient, le nourrisson s'était mis à régurgiter une ffreuse substance caillée que Nora fut obligée d'essuyer vec le bas de la chemise du bébé. Il n'avait aucun bagage, as même une couche de rechange. Les hommes avaient aissé les vitres à l'avant, mais l'air était inerte et sentait e métal chaud : il n'atténuait en rien la présence de Neil.

« Vous voulez ouvrir derrière ? » demanda Mr Fenton. Non, elle ne le voulait pas. Un de ses cousins avait eu ne otite, parce qu'il avait construit un modèle réduit l'avion assis dans un courant d'air.

« A ce stade, ce ne sont que des tubes digestifs, ommenta le docteur en s'éventant avec son chapeau.

— Et le cerveau ? interrogea Mr Fenton. Quand le erveau commence-t-il à fonctionner ? » Il conduisait ans hâte, comme tout ce qu'il faisait. Son coude reposait l'aise dans l'encadrement de la vitre. Des cendres de sa igarette vinrent s'égarer dans le domaine de Nora.

« Le cerveau est encore primitif, dit le docteur d'un ton ssuré. Il se trouve encore dans l'obscurité des premiers emps. » Nora se demanda ce que « l'obscurité des emps » pouvait bien signifier. Mr Fenton devait se le emander aussi. Il commença de dire quelque chose, nais le docteur poursuivit, avec son parler lent et hantant :

« Seule l'âme est entièrement formée à la naissance. e cerveau...

— Quand ils naissent, ils ont ces bites énormes, ignala Mr Fenton. Parfaitement formées.

— Le cerveau s'efforce de rattraper l'âme. Pour la lupart des gens, l'effort dure la vie entière.

— Si c'est toi qui le dis, Alex. »

Ce bébé n'était sûrement pas primitif. Elle examina son visage. On n'y voyait aucun poil, si ce n'est le duvet blond autour de son front. L'homme primitif, entièrement velu, traînait les pieds dans le souvenir qu'elle avait gardé d'un film vu autrefois. Parlez pour vous, avait-elle envie de dire au docteur. Neil n'est pas primitif. Il a juste besoin de comprendre où il va. Son devoir à elle consistait à remettre à sa mère cette parcelle d'enfant, fils unique dépourvu du moindre vêtement. Les chaussettes, la chemise et la couche étaient bonnes à brûler, ne méritaient pas une lessiveuse d'eau. C'est ainsi que sa sœur avait passé une porte ouverte et que la porte s'était refermée derrière elle. C'est ainsi que Marie-Antoinette, plus jeune que Nora, avait été dépouillée de tous ses vêtements en atteignant la frontière de la France, en route pour épouser un futur roi. De complets étrangers avaient eu le droit de la voir nue. On laissa par terre les habits qu'elle avait portés et on la para d'atours si alourdis d'argent et de broderies qu'elle pouvait à peine marcher. On renvoya ses dames d'honneur, qui parlaient sa langue maternelle. (Nora ne se rappelait pas d'où Marie-Antoinette était partie.) « Car nous n'avons rien apporté dans le monde », aimait à faire remarquer la grand-mère de Nora, méthodiste convaincue que les catholiques n'ouvraient jamais une Bible et qu'il fallait les informer. « Nu je suis sorti du sein » était de la même veine. Nora savait s'habiller et se déshabiller sous un peignoir avec l'agileté d'une souris. Aucun tremblement de terre, aucun cambrioleur, aucun intrus poussant brusquement la porte ne trouverait Nora sans un vêtement au moins, ne fût-ce qu'un soutien-gorge.

« ... de McIvor, disait le docteur à Mr Fenton. Il habite Vancouver à présent. Cela le change beaucoup de Montréal.

— Il reviendra ici à quatre pattes un jour, probablement plus tôt qu'il ne le pense», affirma Mr Fenton. Quelque chose l'avait mis de mauvaise humeur, les propos sur les âmes, peut-être. «J'estime que c'est un privilège de vivre à Montréal. Je suis né rue Crescent et c'est là que j'ai l'intention de mourir. A moins qu'une autre guerre n'éclate. Alors on joue à pile ou face.

— C'est une belle rue, Crescent, approuva le docteur. Des maisons agréables, des magasins agréables.» Il marqua un temps d'arrêt pour que le compliment fasse son effet, une façon de faire la paix. «Il s'achète une maison. L'immobilier n'est pas cher là-bas.

— C'est loin, commenta Mr Fenton. Ils n'obtiennent pas que les gens aillent s'y installer. C'est pour ça que tout est si bon marché.

— N'étant pas marié, il n'a pas besoin de beaucoup de place. Ce n'est qu'un bungalow, deux pièces-cuisine. Il peut manger à la cuisine. Le quartier est agréable. Beaucoup de jardins.

— C'est vrai qu'il y a des commerces rue Crescent maintenant, mais ils sont élégants, reprit Mr Fenton. Je pourrais vendre la maison vachement plus cher que ne l'a payée mon père. Louise veut que je le fasse. Elle ne s'habitue pas au voisinage d'une boutique de prêt-à-porter. Elle veut une pelouse et une cour et beaucoup d'espace entre les maisons.

— Mac a un jardin de taille moyenne. Il ne le tuera pas. Là-bas, il n'y a pas d'hiver. Vous enfoncez quelque chose en terre et ça pousse.

— Mon père s'est cramponné à cette maison pendant toute la Dépression, dit Mr Fenton. Il faudra autre chose que quelques vitrines de magasins pour m'en chasser.» Ce disant, il fit une embardée violente, ayant failli rater le virage à l'entrée de sa rue.

Cela cahota le bébé qui venait de s'endormir. Avant

qu'il puisse se mettre à pleurer ou faire quoi que ce soit qui le fasse mal voir, Nora l'éleva devant la vitre. « Tu vois les maisons ? demanda-t-elle. Il y en a une qui est à toi. » Les rez-de-chaussée de certaines d'entre elles étaient occupés par des boutiques de mode. D'autres étaient transformés en bureaux, avec des fenêtres sans rideaux, des éclairages au néon qui brillaient en plein jour.

La double rangée de maisons continuait tout droit jusqu'à la rue Sainte-Catherine sans interruption, à part quelques ruelles cendrées. Juste avant l'une d'elles Mr Fenton s'arrêta. Ayant récupéré son gilet et son veston, il descendit de voiture et claqua la porte. C'est le docteur qui se retourna pour aider Nora à s'extraire de la voiture, lui tenant fermement le bras, et qui remit en place la bandoulière de son sac. Ce n'étaient pas des avances, alors elle le laissa faire. On voyait bien que c'était un père de famille.

Elle trouvait Neil plus pénible à tenir qu'avant, peut-être parce qu'elle était fatiguée. Protégeant du soleil les yeux du bébé, elle lui tourna le visage vers une maison étroite en pierre gris pâle. Dans sa rue à elle, une construction de ce type représenterait trois appartements avec deux chambres chaque, sans compter la courette en contrebas. Elle était sur le point de demander : « Est-ce que tout cela vous appartient ? » mais elle risquait de donner l'impression de n'avoir jamais été nulle part et la dernière chose qu'elle voulait, c'était attirer l'attention entière de Mr Fenton.

A l'ombre du perron, derrière une fenêtre qui donnait sur la courette, une main souleva un rideau en tulle et le laissa retomber. Ainsi, quelqu'un savait que Neil était arrivé. En son honneur, elle passa la première et monta tout droit jusqu'à la porte. Les hommes s'en aperçurent à peine. Mr Fenton, en bras de chemise, gilet et veston etés par-derrière l'épaule, parlait de chaleur et de soif. A mi-escalier, le docteur s'arrêta et demanda : « Boyd, ce ı'est pas dans cette ruelle que la fille est supposée avoir été violée ?

— Il n'a jamais été pris, répondit Mr Fenton instananément. Il faisait noir. Elle n'a pas vu son visage. Des gosses avaient tiré sur le réverbère avec une carabine à ıir comprimé. Son père a voulu porter plainte contre la nunicipalité, pour défaut d'éclairage. Ça ne l'a pas ıvancé. Ray Abbott est au courant de l'histoire. Éclairage ɔu pas, ce n'était pas la municipalité qui était en cause.

— Que faisait-elle toute seule dans une ruelle somɔre ? demanda le docteur. Est-ce qu'elle travaillait dans e coin ?

— Elle habitait rue Bishop, répondit Mr Fenton. Elle evenait de voir une amie et elle avait pris un raccourci ɔour rentrer chez elle. Son père était directeur d'école. » l donna le nom de l'établissement. Nora n'en avait amais entendu parler.

« Anglaise, dit le docteur Marchand pour fixer le ontexte de l'histoire.

— Ils sont partis. Des drôles d'histoires ont circulé, u'elle connaissait le type, qu'ils avaient rendez-vous.

— J'ai connu un cas de ce genre. Une vieille fille. Elle mis la police aux trousses d'un homme marié. Son rime, c'était d'avoir dit bonjour.

— Pour Louise, ce n'était pas de chance qu'il se passe uelque chose de ce genre tout près. Personne n'a rien ntendu jusqu'à ce qu'elle se précipite dans la courette t se mette à taper sur la porte en hurlant.

— Louise a fait ça ? demanda le docteur.

— Cette fille. Missy l'a fait entrer et lui a fait boire n grand coup de cognac. Missy a la tête solide. Elle a it : "Si vous n'arrêtez pas de crier, j'appelle la police."

— Elle doit se débrouiller en anglais maintenant.

— Missy est intelligente. Quand ma belle-mère l'a engagée, tout ce qu'elle savait dire était, je cuisine, je nettoie. Maintenant, elle serait capable de plaider une cause au tribunal. Elle a dit à Louise : "Un type m'empoigne *moi* dans la ruelle, je vous le tords comme une serpillière." Louise n'en revenait pas. »

Subitement, Mr Fenton retrouva son entrain, ce qu lui allait mieux. « Nous ne devrions pas faire peur à Nora avec toutes ces histoires. » Elle trouva cette réflexion un comble, après ce qui s'était dit dans la voiture. Elle attendait à la porte. Il fut obligé de lever la tête.

Il monta lentement les dernières marches. Évidem ment, il était plus près de trente ans que de vingt et pas en grande forme. Tout cet alcool et sa façon paresseuse de se mouvoir se faisaient forcément sentir. Sur le palier il dut reprendre haleine. « Ne vous inquiétez pas, Nora dit-il. Cette partie de la rue est encore bien. Elle n'es plus aussi résidentielle que lorsque j'étais petit, mais elle est sûre. En tout cas, pour des jeunes filles qui ne fon pas de bêtises.

— Je ne suis pas du genre à me biler, répondit-elle Je ne circule pas toute seule dans le noir et je ne parle pas aux inconnus. De toute manière, je ne vais jamai passer la nuit ici. Mon père n'aime pas que je découche. »

Un mot qu'elle connaissait mais n'avait jamais songé à utiliser — « morose » — lui vint à l'esprit en voyan le visage de Mr Fenton changer progressivement Maussade ou profondément pensif (comment le savoir ?), il se mit à fouiller dans les poches de son gile et de son veston, à la recherche de sa clé, sans doute. Le docteur tendit le bras et appuya sur la sonnette. Il l'entendirent tinter à l'intérieur. Sans le docteur Mar chand, ils auraient pu rester en plan, à attendre que l terre tourne et que l'inclinaison du soleil change en leu accordant de l'ombre. Juste au moment où ces pensée traversaient l'esprit de Nora, où elle se demandait comment Mr Fenton réussissait à venir à bout de la vie quotidienne sans que le docteur soit présent à chaque instant, celui-ci s'adressa directement à elle : « *On ne dit pas "se biler". C'est commun. Il faut toujours dire "s'inquiéter"*[1]. »

La chaleur de la journée et la tension provoquée par les incidents lui avaient fait perdre les pédales. Il n'y avait pas d'autre explication. Ou alors, croyait-il être une espèce de merveille bilingue, une véritable œuvre d'art, debout là dans son costume de croque-mort, coiffé de ce chapeau ridicule ? Le père de Nora avait plus de connaissances sur toute chose que lui, sans aucun doute. Il était informé de la politique locale et des tractations en sous-main d'hommes honorés et admirés, dont les photographies paraissaient dans la *Gazette* et le *Star*. Il pouvait serrer la main à tous ceux que vous choisiriez de nommer ; un simple regard lui suffisait pour connaître la valeur d'un homme. Quand il allait à Blue Bonnets, le champ de courses, une intuition fantastique lui dictait sur lequel parier. Il rentrait souvent à la maison en chantant, son chapeau rejeté en arrière. Il disposait d'un bureau personnel à l'Hôtel de Ville, sans que personne sache quelles étaient ses fonctions, mais il avait le droit de téléphoner à volonté. Il ne cherchait jamais querelle à personne et ne se vexait jamais. « Ne laissez personne vous taper sur les nerfs, avait-il conseillé à Gerry et à Nora. Demandez-vous d'où cela vient. »

Elle se demanda d'où cela venait : vraisemblablement, le docteur Marchand avait passé une matinée affreuse à essayer d'esquiver les humeurs et les opinions fluctuantes de Mr Fenton. Pourtant, ils étaient amis tous les deux, comme les copains dans un film sur la Grande

1. En français dans le texte.

Guerre, où les acteurs se juraient loyauté dans une tranchée avant de monter à l'assaut. Les guerres se fondaient les unes dans les autres, comme l'histoire des rois d'Angleterre, entretenue par les récits fastidieux que répètent les hommes. En tant que personne, il était facile à pardonner. En tant qu'homme, il y avait de la froideur chez lui. Son observation l'avait froissée. Elle l'avait fait paraître ignorante. Mr Fenton ne savait pas un mot de français, mais il avait dû saisir le sens général.

Tout comme la mère de Nora prédisait un changement de temps à certaines douleurs qu'elle ressentait aux poignets, le bébé perçut un changement chez Nora. Son visage se plissa. Il rejeta encore un peu de cette bave caillée, suivie d'une petite toux et d'une plainte étouffée qui fendait le cœur. «Oh, arrête», implora-t-elle en entendant des pas précipités. Elle le secoua doucement. «Où est-il, mon petit homme? Où est-il, mon petit soldat?» Sa robe en piqué, qui avait eu, quelques heures auparavant, la fraîcheur d'un mouchoir qui vient d'être repassé, était tachée, souillée, fripée, mouillée, endommagée par Neil. Elle lui embrassa le crâne. Tout ce qu'elle trouva à dire, dans la hâte, fut : «Sois sage.» La porte s'ouvrit. Sans en être priée, Nora entra dans la maison. Le docteur enleva son chapeau, cette fois avec une certaine élégance. Mr Fenton, remarqua-t-elle, était encore en train de chercher la clé.

Dans les pièces qu'on entrevoyait depuis le vestibule, les stores étaient tirés, en isolation contre la rue embrasée. Une chaleur plus sombre et plus moite, comme l'air d'une nuit d'août, se condensait sur les joues et le front de Nora. Elle sourit à deux femmes, aperçues dans la pénombre. La plus jeune avait une silhouette d'enfant adipeux; ses cheveux étaient coupés au ras des sourcils et elle portait ce que Nora prit pour une jupe blanche. Pendant les secondes qu'il fallut pour que ses pupilles se dilatent, que ses yeux accommodent de nouveau, elle vit que la jupe blanche était un tablier blanc. Dans l'intervalle, elle s'était approchée de la jeune femme, en disant : « Voilà votre mignon bébé, Mrs Fenton », et le lui avait tendu.

« Eh bien, Missy, vous avez entendu Nora », dit Mr Fenton. Il aimait ce genre de plaisanterie, se moquant bruyamment d'une erreur, mais la marée avait l'air d'être descendue devant Missy, la laissant abandonnée, incapable de reconnaître quoi que ce soit sur le rivage. Elle parvint seulement à dire : « Il y a un biberon qui est prêt », avec un accent marqué.

« Donnez-le lui tout de suite, dit la femme plus âgée, qui ne pouvait être autre que la belle-mère venue de Toronto. Cela ressemble à un cri de faim. » Après avoir fait cette observation, elle ne se soucia plus de Neil mais s'adressa aux deux hommes : « Louise est vraiment assommée par la chaleur. Elle ne veut pas déjeuner. Elle m'a chargée de vous dire bonjour, Alex.

— Une fois qu'elle l'aura vu, elle s'y intéressera, affirma le docteur. J'ai connu un autre cas du même genre. Je peux vous le raconter en détail.

— C'est cela, racontez-le-nous, approuva Mrs Clopstock. Je vous en prie, racontez-le. Vous pouvez le faire pendant le déjeuner. Il nous faut un sujet de conversation. »

Nora se réjouit que le docteur Marchand, pour la première fois, ait fait une erreur de prononciation en anglais, disant « dat » au lieu de « that ». Il n'était pas si fort, après tout. Il n'en restait pas moins qu'elle avait gâché l'entrée de Neil dans sa nouvelle vie, comme si elle avait traversé au mauvais endroit. On ne pouvait comparer ces deux erreurs. Le docteur avait toujours la possibilité de recommencer et de prononcer correctement. Pour Nora et Neil, c'était une fois pour toutes.

2

L'oncle de Nora, Victor Cochefert, était le seul membre de sa famille, que ce soit paternelle ou maternelle, qui eût quelque chose de substantiel à léguer. Il possédait la maison où il vivait — quatre chambres, un garage pour deux voitures et un saule pleureur sur la pelouse — ainsi que quelques appartements qu'il louait aux pauvres et aux imprévoyants à l'est de la ville. Il faisait sans cesse expulser des locataires et il était arrivé qu'on jette des canettes de bière contre sa voiture.

Les appartements lui venaient de son mariage avec Rosalie, fille d'un notaire. Son père avait dressé un contrat de mariage contraignant, dur, qui attribuait à Rosalie la gestion de ses avoirs, mais, victime d'une attaque précoce, elle traînait un pied et avait laissé l'oncle Victor s'occuper de tout. Les autres membres de la famille étaient d'éternels locataires, comme presque tout Montréal. Aucun n'était dans le besoin, mais seuls Victor et Rosalie étaient allés en Floride.

Aux yeux des Cochefert, les arrangements financiers du père de Nora semblaient excentriques et passablement obscurs. Il ne parlait jamais d'argent, mais on le soupçonnait d'être plus à l'aise qu'il ne le laissait entendre. Cependant, les Abbott restaient dans un appartement au troisième étage d'une maison sans ascenseur, avec un escalier extérieur et des planchers recouverts de linoléum sur lequel les petits tapis glissaient et dérapaient sous les pieds. Les parents de sa femme l'admiraient pour des qualités qu'ils ne mettaient pas en doute, derrière son grand mur de bonne humeur. Ils l'avaient vu quitter la pièce sombre où il se tenait derrière un comptoir, les yeux à l'abri d'une visière (les protégeant de quelle lumière?), enregistrant les naissances, délivrant des certificats, pour un bureau personnel à l'Hôtel de Ville. Il avait fait son chemin nonchalamment, en sifflotant, les mains dans les poches — celles des autres, parfois, avait insinué Victor. En même temps, il avait beaucoup de considération pour Ray, sachant que si vous lui témoigniez de la confiance, faisiez de lui un complice, vous pouviez compter sur lui. Il lui avait même confié un exemplaire de son testament.

Ce document était enfermé dans un coffre, dans le petit bureau de Ray, dont la porte était vierge de toute inscription. « Rien dans le coffre, si ce n'est mon déjeuner », disait-il souvent, mais Nora l'avait ouvert un jour et avait été impressionnée par le grand nombre de fichiers et de dossiers à l'intérieur. Quand elle avait demandé ce qu'ils contenaient, son père avait ri et répondu : « Des polices d'assurances multirisques », et l'avait traitée, gentiment, de face de lune et de morveuse. Elle pensa qu'il devait se sentir fier d'être le gardien d'une fraction des intérêts privés de Victor. Celui-ci était associé d'une firme d'ingénieurs, établie depuis 1900, dans St James Street West. La raison sociale de cette compagnie était Macfarlane, Macfarlane et Macklehurst. Il était entendu que lorsque Macfarlane Senior mourrait ou prendrait sa retraite, « Cochefert » figurerait sur l'en-tête, un peu plus bas, vers la droite, en caractères plus petits. Trois autres personnes, avec des noms français, faisaient partie du personnel : une standardiste, un documentaliste et une dactylo bilingue. Pendant les heures de travail, ils étaient censés parler anglais, même entre eux. L'aîné des Macfarlane était habité par la crainte que tout ce qui se dirait dans une langue inconnue de lui pourrait le concerner.

Le père de Nora connaissait la raison précise pour laquelle on avait engagé l'oncle Victor : les contrats avec le gouvernement provincial du Québec. Les politiciens aimaient traiter en français, d'une façon qu'ils jugeaient pertinente et appropriée. Victor utilisait l'anglais quand il le fallait, ni plus ni moins, provisoirement. Il attendait de voir son nom figurer sur le papier à lettres de la firme, et il spéculait sur le retrait et l'occultation des Anglais. Ces Anglais portaient des noms tels que O'Keefe, Murphy, Llewellyn, Morgan-Jones, Ferguson, MacNab, Hoefer, Oberkirch, Aarmgaard, Van Roos ou Stavinsky. Le langage était l'indice révélateur de l'origine. Il situait les Oberkirch et les MacNab à leur façon de parler et selon la rue où ils avaient élu domicile. Le père de Nora avait échappé à son examen rigoureux ; il représentait l'exception anglaise, même si personne ne savait ce que Ray pensait de quoi que ce soit, ni ce qu'il ressentait. La répugnance bien connue des Anglo-Saxons à manifester de l'émotion profonde pouvait protéger quelque chose, ou rien. Victor l'avait dit à sa femme et elle l'avait répété à la mère de Nora.

Il avait pris la dernière guerre pour une machination des Anglais et avait déclaré qu'il abattrait ses trois fils plutôt que de les voir en uniforme. La menace avait fait éclater en sanglots la tante Rosalie, suivie de ses trois fils, tour à tour, comme s'ils exécutaient un canon de lamentations. Cet incident eut lieu au cours d'un dîner donné pour célébrer les noces d'or des grands-parents Cochefert : la famille proche uniquement, vingt-six couverts, les petits enfants juchés sur des coussins ou des tomes du Littré. Cela se passait six jours après l'invasion de la Pologne par les Allemands et il y avait trois jours que Ray avait essayé de s'engager. Victor était dans un tel état de conviction pacifiste qu'il tremblait de tout son corps. Ses lunettes à monture d'écaille tombèrent dans son assiette. Il dit au père de Nora : « Ce n'est pas pour vous que je le dis.

— Dans ma famille, si le Canada part en guerre, nous partons aussi», répliqua Ray et il s'en tint là.

Juste avant la terrible explosion de Victor, toute la tablée avait applaudi à l'arrivée du superbe gâteau d'anniversaire à cinq étages, rose et blanc, garni de clochettes dorées. A présent, il était installé au milieu de la table et personne n'avait le cœur de le couper. Le risque de voir tuer ses enfants semblait non pas déraisonnable mais prophétique. L'époque était pleine de malheur. Le seul rejeton de Victor en âge de porter l'uniforme et de se faire descendre par son père était sa fille, Ninon — la Ninette de la tante Rosalie. Pendant des années, Victor et Rosalie avaient été seuls avec elle, puis les garçons étaient venus.

Elle aurait dix-huit ans cette année-là, en septembre ; fraîchement émoulue du couvent où elle avait fait ses études, elle savait lire et parler anglais, comprenait le latin de la messe jusqu'au dernier mot, jouait au piano tout ce que vous aviez envie d'entendre : bref, elle était prête à devenir une épouse accomplie. Sa dissertation historique, « Marie-Antoinette, reine chrétienne et martyre royale », lui avait valu une médaille de fin d'études. La tante Rosalie avait apporté la médaille au repas, où on la fit passer en l'examinant sur les deux faces. Quant à « Marie-Antoinette », Victor l'avait fait imprimer sur du papier couleur crème et relier en bleu roi, avec trois fleurs de lys blanches en relief sur la couverture : il en avait offert un exemplaire à toute personne qui lui était apparentée ou à qui il souhaitait rendre hommage.

Nora avait neuf ans et aucune idée d'où pouvait bien se trouver la Pologne. La possibilité du meurtre de ses cousins par l'oncle Victor resta en suspens, mais on commença de trouver plutôt pénibles les pleurnicheries des enfants. Ninette se leva — elle n'avait pas vraiment une présence imposante, étant petite et frêle — et parla de s'engager dans les forces armées et de faire de longues marches en bottes. Comme aucun d'eux ne pouvait imaginer une femme en uniforme, cela les inquiéta plus que jamais, puis ils virent qu'elle avait voulu les faire sourire. Ayant ramené la bonne humeur, plus ou moins, parmi les convives, elle fit le tour de la table pour persuader ses petits frères de cesser leur vacarme et essuyer leurs figures larmoyantes et morveuses. Celui qui était âgé de trois ans avait rampé sous la table, mais Ninette le tira de là, l'assit fermement sur sa chaise et lui attacha sa serviette autour du cou. Elle aimait que les garçons mangent comme des grandes personnes et se souviennent de tous ses propos instructifs : la Mère Supérieure avait dit à Victor que c'était une pédagogue née. S'il ne voulait pas qu'elle suive une formation avancée (il ne le voulait pas), il devrait permettre à Ninette de donner des leçons particulières, de français ou de musique. Rien ne contribuait plus sûrement à la dégradation morale que de laisser un esprit féminin de qualité se gâter et se décomposer. D'être occupée à donner des leçons empêcherait Ninette d'arrêter sa pensée sur des impondérables, comme les limites du devoir envers les parents, et ce qui risque d'arriver au cours de sa nuit de noces. La Mère Supérieure ne prenait pas de gants en parlant aux hommes. Avec les femmes, elle était plus circonspecte, n'en tenant que quelques-unes en haute estime. L'oncle Victor pensait que c'était la meilleure attitude pour la directrice d'une institution religieuse exceptionnelle.

Après avoir totalement subjugué ses petits frères, Ninette donna un baiser à l'un et l'autre de ses parents troublés. Elle prit une grande pelle à gâteau — un cadeau de mariage de 1889, comme le dictionnaire — et trancha entièrement l'édifice de cinq étages, du haut en bas. On avait dû lui en enseigner la technique, comme faisant partie de ses études, car le gâteau ne se désintégra pas, ni ne s'effondra. « Voilà ! » dit-elle, comme si la vie ne réservait plus de problèmes à régler.

Avant de commencer à servir les invités, elle dénoua le ruban de velours noir qui retenait ses cheveux et le tendit à Géraldine. Nora observa Ninette attentivement pendant qu'elle s'activait sur le gâteau. Vu de profil, son visage était réservé, comme celui d'un chat. Un jour, Ray avait déclaré qu'il poussait une moustache à toutes les Cochefert, à la seule exception de son épouse, avant l'âge de dix-huit ans. On n'en voyait pas trace chez Ninette, mais ce dont Nora s'aperçut, c'est qu'elle portait du mascara. L'oncle Victor n'avait pas l'air de l'avoir remarqué. Il essuya ses lunettes sur sa serviette de table et regarda humblement alentour, comme s'ils étaient tous trop bons pour lui. Il ne se prononça plus sur la guerre ni sur les Anglais, mais dès qu'il commença à se sentir mieux, il affirma que ce n'était pas la peine de donner de l'instruction aux femmes : cela ne faisait que rendre confuse leur façon de voir les choses. Il espérait que Ray m'entretenait pas de projets stupides et extravagants pour Nora et Géraldine. Ray continua de manger paisiblement, régulièrement, et termina son gâteau le premier.

Le père de Nora était converti, mais il s'était intégré. Il avait trouvé que le changement ne posait pas plus de problèmes que de déterrer des iris pour planter des tulipes. S'il survenait quoi que ce fût de contrariant — quelque nouvelle canonisation dont il pensait qu'elle était abusive — il disait : « Cela ne figurait pas dans mon contrat. » Il avait fait souffrir la mère de Nora au sujet de l'Assomption.

Il venait de l'île du Prince-Édouard. On y avait emmené Nora et Géraldine, une seule fois, pour que la mère de Ray fasse la connaissance de ses petites-filles. Tous ses amis et voisins semblaient s'appeler Peters ou White. Nora se réjouit d'être une Abbott, parce qu'il n'y en avait pas tant. Ils avaient pris le train, assis la nuit entière tout habillés, et à la fin du voyage, ils en étaient à leur dernier œuf dur. « Trois jours de sandwiches », commenta leur grand-mère Abbott. Bien sûr, c'était loin d'avoir duré trois jours, mais on avait appris à Nora et Gerry à ne pas contredire. (Leur mère avait résolu de ne pas comprendre un seul mot d'anglais.)

La grand-mère Abbott avait des cheveux bouclés d'un ton de blanc saisissant, et un visage rose. Elle portait des chaussures plutôt jolies, mais avait été obligée de les fendre pour mettre ses orteils douloureux à l'aise. Sa taille était si épaisse qu'elle avait du mal à attacher son tablier. « Tu tiens de ton grand-père », disait-elle à Gerry, à cause des cheveux d'or roux. Les petites filles ne lisaient pas encore l'anglais, si bien qu'elle en déduisit qu'elles ne savaient pas lire du tout. Elle leur raconta comment John Wesley, ainsi que chacun de ses frères et sœurs, avaient appris l'alphabet le jour de leurs cinq ans. Pour obtenir ce résultat, il fallait rester enfermé dans une pièce avec Mrs Wesley, sans rien à boire ni à manger jusqu'à ce que la récitation se fasse sans hésitation de A à Z.

« Vous voyez ce que c'est qu'un anniversaire méthodiste », dit Ray. Peut-être que cela avait éveillé des souvenirs en lui, car ils devint hargneux et critique, comme il ne l'était jamais à la maison. Il prit la défense du Québec, affirmant qu'un endroit où l'on pouvait boire une bière quand on en avait envie sans qu'on vous pose de questions était plein de mérites. Au Québec, la bière s'achetait dans les épiceries. Le reste du Canada avait un régime plutôt sec, et pourtant, dans les villes privées d'alcool, même les poteaux télégraphiques titubaient le samedi soir.

Nora était fière qu'il eût tant de choses à dire. Le dernier jour, il survint quelques anicroches qui firent dire à Ray : « Du maïs coriace et une tarte aux pommes acides, ce n'est pas un repas d'homme. » Il avait raison. Jamais la mère de Nora n'aurait servi un tel repas.

Par une chaude après-midi de printemps, la guerre finit. Nora avait quinze ans et fréquentait un lycée anglais. Elle savait qui était George Washington et connaissait les noms des rois Stuart, mais pas grand-chose du Canada. Une bande de crétins — selon l'opinion de Ray — descendirent dans le centre ville en masse, brisèrent des vitrines et renversèrent un tram, pour montrer comme ils étaient heureux que la paix soit revenue.

Personne ne savait à quoi il fallait s'attendre ni ce qui était censé arriver quand il n'y avait pas la guerre. Même Ray n'était pas sûr de continuer à figurer sur le registre du personnel de la municipalité, avec tous ces hommes plus jeunes qui allaient revenir et jouer des coudes pour avoir la priorité. L'oncle Victor décida d'expulser tous ses locataires, de donner un coup de peinture aux appartements et de les louer plus cher aux anciens combattants.

Ninette et la tante Rosalie allèrent chez Eaton, où elles firent une des premières queues pour des bas en nylon. La mère de Nora se réjouit par principe de la fin du rationnement, bien que personne n'eût connu de privations. Il y avait des années que Géraldine se morfondait : elle avait aspiré à être la plus jeune novice de l'histoire universelle, et maintenant c'était trop tard. Ray n'avait cessé de dire : « Rien à faire. Nous sommes en guerre. » Il n'avait pas voulu que la famille se disperse, au cas où le Canada serait envahi, oubliant comme il avait été désireux de partir au tout début, bien qu'en 1939, il est vrai, on ait pensé que la guerre ne serait qu'une affaire de dix mois environ.

A présent, c'est parce qu'elle pouvait quitter la maison que Géraldine larmoyait. Quand Ray dit qu'elle devait attendre une année de plus, elle s'arrêta subitement de pleurer et se mit à trier les vêtements et les affaires auxquelles elle renonçait. La première chose qu'elle remit à Nora fut ce ruban de velours noir que Ninette avait dénoué tant d'années auparavant. Il était comme neuf : Gerry n'usait jamais rien. Nora le vit comme une relique d'un autre âge. La mode, maintenant, c'était les peignes courbes, les barrettes et les pinces cloutées de pierres de couleur. Gerry continua de mettre ses vêtements en piles séparées jusqu'à la dernière minute et partit l'œil sec, laissant un lit vide dans la chambre que Nora avait partagée avec elle pendant toute sa vie.

Celle qui partit ensuite, ce fut Ninette. Elle était atteinte de tuberculose, et on dut l'envoyer dans les Laurentides, dans un endroit peu éloigné du couvent de Gerry. Elle n'écrivait jamais, par crainte de transmettre des bacilles dans le courrier. Si Nora envoyait une lettre, il fallait qu'elle la donne dans une enveloppe non cachetée à la tante Rosalie. L'excuse fournie était qu'on devait épargner les mauvaises nouvelles à Ninette. Nora n'avait aucune idée de ce que pouvaient être les mauvaises nouvelles.

Ninette ne s'était pas mariée. Nora avait souvent entendu dire que l'instruction qu'elle avait reçue n'avait servi à rien. Elle avait hérité de son père l'habitude d'attendre, et maintenant la vie lui avait joué un méchant tour. Elle avait corrigé ses petits frères pour leur bien et donné des leçons particulières de français. Son livre préféré était encore son propre « Marie-

Antoinette». Aurait-elle secrètement espéré être martyre et admirée? Ray le pensait: «Le problème de Ninette, c'était toutes ces fichues histoires de reine.»

«C'était», avait-il dit. Elle était tombée dans leur passé. En peu de temps, Nora commença d'oublier sa cousine. On ne pouvait pas continuer d'écrire à quelqu'un qui ne répondait jamais. Sa famille parut fréquenter de moins en moins l'oncle Victor et la tante Rosalie. La tuberculose était une maladie honteuse, fléau des pauvres, avec la réputation de se transmettre de génération en génération. Quelque ancêtre lointain, chassé, victime de l'hiver et de périodes prolongées de la famine qui frappait les émigrés avait légué le bacille, sur trois siècles, peut-être. La moindre rumeur concernant Ninette était susceptible de gâcher la vie de ses frères et cousines. L'été qui suivit son départ, la tante Rosalie eut une seconde attaque et mourut deux semaines après.

Une personne à qui la guerre profita, ce fut Ray. Il resta dans le même bureau, fut l'ornement du même registre du personnel et continua d'avoir des amis partout. Il avait conçu un moyen d'assouvir le chagrin des couples sans enfants en les rapprochant de nouveau-nés que personne ne voulait élever. Il avait la satisfaction de faire preuve de bonté, d'accomplir un geste chrétien, et le plaisir de bénéficier de faveurs en retour. «Ray ne reste pas vraiment à tendre la main», avait-on entendu dire à l'oncle Victor. «Mais le plus souvent, il y trouve son intérêt.»

Ray avait maintenant son papier à lettres personnel, avec «Cadaster/*cadastre*[1]» comme en-tête. «Cadaster» n'avait aucun rapport avec son travail, autant qu'on sache. Il avait trouvé des rames de ce papier dans un carton, prêt à être jeté. Le papier était jauni, cassant au

1. En français dans le texte.

bord. Il aimait taper des lettres à la machine et signer son nom d'un long griffonnage.

Un jour, il avait dit qu'il voulait que ses enfants aient des noms qu'il soit capable de prononcer, et avoir la possibilité de parler anglais à sa table si l'envie lui en prenait. Ces deux vœux avaient été exaucés. Il était plus gai qu'aucune des connaissances de Nora et beaucoup plus heureux que le pauvre oncle Victor.

Nora devait occuper seule la chambre qu'elle avait partagée avec sa sœur aînée. Elle posa sur la commode le portrait encadré de Gerry lors de la remise des diplômes de fin d'études, en embrassa le verre, puis dispersa ses propres affaires dans tous les tiroirs. Peu de temps après, sa mère vint s'installer et prendre le lit vide. En pleine ménopause, elle était obligée de se lever la nuit pour changer sa chemise et les taies d'oreiller trempées de sueur. Au bout d'une semaine environ, Ray entra et alluma la lumière. « Combien de temps cela va-t-il durer ? demanda-t-il.

— Je ne sais pas. Retourne te coucher. Tu as besoin de dormir. »

Il s'éloigna, laissant la lumière allumée. Nora alla l'éteindre, pieds nus.

« Qu'est-ce qu'on ressent, au juste ? » interrogea-t-elle. La voix de sa mère dans le noir avait quelque chose de juvénile, comme celle de Gerry.

« On dirait qu'on te jette sur la tête une serviette éponge trempée d'eau bouillante.

— Je ne me marierai jamais, dit Nora.

— Cela n'a rien à voir avec le mariage.

— Est-ce que ça arrivera à Gerry ?

— Les religieuses ont tous les ennuis féminins. »

La vague de chaleur d'août et l'agitation de sa mère empêchèrent Nora de dormir. Elle pensa à l'école de secrétariat où elle allait entamer une nouvelle et importante phase de sa vie, le mardi suivant la fête du travail, dans treize jours. Son imagination longeait des couloirs inconnus, entrait dans des salles de cours où se trouvaient des rangées de machines à écrire qui sortaient de l'usine ; les crayons, les gommes, les blocs-notes à spirale n'avaient jamais servi. Toutes les filles étaient agréables et consciencieuses. Assise à une table au premier rang se trouvait Miss Nora Abbott (si l'ordre alphabétique était respecté), avec ses aptitudes bilingues naturelles et sa garde-robe abondante, dont la moitié lui venait de Gerry.

Dans leur enfance, elle et Gerry avaient prêté à leurs parents des pouvoirs magiques, persuadées que leur mère entendait leurs pensées informulées et écoutait à distance leurs conversations les plus secrètes. Et voilà que sa mère dit : « Ne peux-tu t'endormir, Nora ? C'est l'idée de ces cours qui t'impressionne. Est-ce que tu veux quitter la maison quand tu toucheras ton premier chèque ? Ce n'est pas ce que souhaiterait papa.

— Gerry avait dix-huit ans quand elle est partie.

— Nous savions où elle allait.

— J'aurai plus de dix-neuf ans quand je commencerai à travailler.

— Tu débuteras à quinze dollars, si tu as de la chance.

— Je me demande comment papa va arriver à payer ces cours. Ils coûtent deux cents dollars, sans compter le manuel de sténo, dit Nora.

— Tu n'as pas à t'en inquiéter. Il a versé les cent dollars d'acompte. Le reste n'est dû qu'en décembre.

— Il a fallu que l'oncle Victor participe.

— Il ne *fallait* rien du tout. Quand l'oncle Victor dépanne, c'est qu'il le veut bien. Ton père ne demande pas l'aumône.

— Pourquoi n'a-t-il pas pu payer ces cent dollars sans se faire aider ? Est-ce qu'il en a perdu une partie à Blue Bonnets ? »

Sa mère se dressa brusquement sur son séant et se transforma en présence impressionnante dans le noir.

« As-tu jamais été obligée d'aller te coucher le ventre vide ? Gerry et toi, vous avez eu un manteau neuf chaque hiver.

— Gerry, oui. Moi, j'avais la défroque. Grand-maman Abbott envoyait des cadeaux à Gerry parce qu'elle avait les cheveux roux.

— Les vieux manteaux de Gerry avaient toujours l'air d'arriver tout droit du magasin. Il n'y avait jamais la moindre tache sur ses vêtements. Grand-mère Abbott lui a envoyé un œuf de Pâques une seule fois. Il s'est brisé pendant le transport et ton père lui a dit de ne plus se donner la peine d'expédier des colis.

— Pourquoi fallait-il que l'oncle Victor prête cinquante dollars à papa ? Que fait-il de son argent ?

— As-tu jamais dû te passer de chaussures ? As-tu jamais été privée d'un repas chaud ? Qui t'a donné la chaîne et la croix en or à vingt-quatre carats pour ta première communion ?

— L'oncle Victor.

— Eh bien, à qui voulait-il faire plaisir ? A ton père. Il a été le meilleur père du monde, et le meilleur mari. Si je pars avant lui, je veux que tu en prennes soin. »

Je serai mariée d'ici là, pensa Nora. « Ce sont les filles qui s'occupent de leurs vieux pères », avait dit Ray le jour où Victor avait compati à ses regrets de ne pas avoir de fils.

Ninette était revenue de cet endroit dans les Laurentides — guérie, disait-on — et avait pris la place de la tante Rosalie, veillant à ce que les garçons fassent leurs devoirs et que les repas de l'oncle Victor soient prêts à l'heure. Ses cheveux étaient coupés court (c'étaient apparemment les cheveux longs qui avaient épuisé ses forces) et elle avait pris du poids. Elle avait vingt-six ans et peu de chances de trouver un mari. Une religiosité tenaillante, sans joie, s'était emparée d'elle. Nora ne l'avait vue qu'une fois depuis son retour : Ninette lui avait demandé de prier pour elle, comme si elle prenait graduellement l'habitude de donner des ordres spirituels. Elle ressemble à un sergent-major, avait pensé Nora. Toute la famille priait pour Ninette depuis plus d'un an, sans y être invitée. Peut-être avait-elle choisi ce nouveau comportement autoritaire de préférence à une autre possibilité, celle de rester assise, la tête dans les mains, à se dire, c'est injuste ! Quoi qu'il en fût, ce n'était pas une compagnie agréable.

« Tu veux dire que tu souhaites que je prenne soin de papa comme Ninette prend soin de l'oncle Victor ?

— Pauvre Ninette, répondit aussitôt la mère de Nora. Que peut-elle faire d'autre à présent ? » Qui épouserait Ninette ? était ce qu'elle essayait de dire. Ninette fuyait la compagnie, ou était-ce qu'on la fuyait, elle, pas par méchanceté, pas par faute de prendre en compte sa vie dévalorisée, mais par crainte de la malchance et de sa façon terrible et contagieuse de se répandre.

Dans la pièce voisine, Ray tapa sur le mur et dit : « Ou bien on se lève tous pour danser la valse, ou bien on se calme et on dort. »

Les dernières pensées de Nora, juste avant de s'endormir, se portèrent sur Gerry. Quand viendrait le moment de prendre en charge la vieillesse de Ray — car elle avait estimé que la folle requête de sa mère était prophétique —, Gerry déciderait peut-être de quitter son couvent et de tenir la maison. D'ici là, elle pourrait facilement en avoir eu assez : Ray estimait que sa vocation avait été gravement ébranlée par une fringale de caramels aux cacahuètes et de *fudge*. Dans une lettre, elle s'était attardée longuement sur la célèbre « reine de

Saba » que confectionnait sa mère, adroitement évidée et remplie de mousse au chocolat et de crème fouettée.

Nora essaya de se représenter Gerry et Ray, l'un vieux, l'autre entre deux âges, et Gerry essayant de lui faire avaler de la soupe chaude ; son imagination flancha. On disait que les personnes âgées étaient exigeantes et difficiles, mais Gerry ferait preuve d'une patience infinie. Le ferait-elle ? Était-elle, plus que la plupart des gens, patiente et calme ? Nora ne parvenait pas à se le rappeler. Il ne s'était écoulé qu'une année environ, mais l'espace creusé par la séparation s'était révélé plus vaste et plus oblitérant que l'écoulement habituel du temps.

Le lendemain, malgré la chaleur, Ray demanda des crêpes et des saucisses pour le petit déjeuner. Jamais deux des Abbott ne mangeaient la même chose ; la mère de Nora restait debout jusqu'à ce que la famille soit rassasiée. Ensuite, elle débarrassait les assiettes, les coupes et les tasses à café et se préparait une pleine théière de thé fort.

Ray se cura les dents et demanda à Nora si elle était prête à rendre service à un couple qu'il connaissait : cela impliquait d'aller chercher leur bébé et le surveiller pendant quelques heures par jour, jusqu'à la fin de la semaine. La mère de ce nourrisson avait souffert d'une dépression nerveuse à sa naissance et on avait été obligé de le placer dans une pouponnière où des religieuses s'occupaient de lui.

« Pourquoi n'engagent-ils pas une nurse ? interrogea Nora.

— Elle arrive d'Angleterre. Ils demandent simplement que tu sois là jusqu'à son arrivée. C'est plus qu'un service, ajouta son père, c'est un geste chrétien.

— Un geste chrétien, c'est quand on ne vous paie pas, dit Nora.

— Eh bien, tu n'as rien de mieux à faire en ce moment. Tu ne voudrais pas te faire payer dans ce cas. Si tu reçois de l'argent, tu es une bonne d'enfants et tu dois prendre tes repas à la cuisine.

— Je mange bien à la cuisine chez moi. »

Elle n'arrivait pas à se débarrasser de la vision d'un Ray âgé, servi par Gerry. « Les connais-tu ? » demanda-t-elle à sa mère, encore debout, qui mangeait du pain grillé.

« Ta mère ne les connaît pas, répondit Ray.

— J'ai vu le mari une fois, rectifia la mère de Nora. C'était vers l'époque où il a fallu que Ninette renonce à donner des leçons. Mrs Fenton venait une fois par semaine. Elle a dû commencer à être déprimée avant que le bébé n'arrive, car elle ne pouvait pas se concentrer ni rien retenir. Les leçons étaient supposées lui remettre l'esprit en place. Mr Fenton a rapporté un livre qui appartenait à Ninette et je crois qu'il a payé des leçons qui étaient encore dues. Ninette n'était pas là ; c'est la tante Rosalie qui nous a présentés. C'est tout ce qui s'est passé.

— Tu ne m'en as jamais parlé, s'étonna Ray.

— A quoi ressemblait-il ? » interrogea Nora.

Sa mère répondit, en anglais : « A un Angliche. »

Nora et son père prirent le tramway pour aller jusqu'à la bâtisse en pierre où Ray avait travaillé avant de s'installer dans son bureau à l'Hôtel de Ville. Il mit sa vieille visière et passa derrière le comptoir en chêne. Il s'amusait à jouer le rôle d'un Ray Abbott beaucoup plus jeune, sachant qu'il possédait le bureau, le coffre-fort et des relations qui valaient une mine d'or. Mr Fenton et son ami médecin attendaient déjà en fumant, sous un écriteau disant « INTERDICTION DE FUMER ».

Nora se sentait moins timide que prudente. Elle

enregistra leurs vêtements d'été légers, la veste beige pâle du docteur, à larges revers, et le *seersucker* à l'américaine de Mr Fenton. L'immense pièce était sombre et sentait les vieux papiers. Ce n'était pas une odeur de saleté, bien qu'un bon nettoyage n'eût pas été un luxe.

Nora et les deux hommes se tenaient côte à côte, en face de son père. Une autre personne, qu'elle prit pour un employé régulier, était assis devant un bureau, en train de lire la *Gazette* et de manger un beignet. Son père avait devant lui un registre de formulaires imprimés. Il remplit les blancs à la main, en se servant d'un porte-plume qu'il trempait avec soin dans l'encre noire. Mr Fenton dictait les renseignements.

Avant de dire le nom de l'enfant ou sa date de naissance, il annonça l'identité de sa femme et, bien entendu, la sienne propre : ils étaient Louise Marjorie Clopstock et Boyd Markham Forrest Fenton. C'était un de ces Anglais sans prénom, rien qu'une ribambelle de noms de famille. Ray tint son porte-plume en l'air, au-dessus de l'article le plus important. Il leva les yeux, en attente, avec un air d'écureuil espiègle. De toute évidence, soit Mr Fenton avait un trou de mémoire, soit il n'arrivait pas à se décider. « Scott ? demanda-t-il, comme si c'était Ray qui devait le savoir.

— Neil Boyd Fenton, dit le docteur, en marquant un silence pesant entre les syllabes.

— Pas Neil Scott ?

— Tu as dit que tu voulais Neil Boyd. »

On dirait que la mère, c'est le docteur Marchand, pensa Nora. Ray inscrivit soigneusement, lentement, le nom et la date de naissance. En lisant à l'envers, elle vit que l'enfant Fenton avait trois mois, ce qui dépassait certainement les limites légales pour la déclaration.

Son père fit pivoter le registre pour que Mr Fenton

puisse signer et héla d'un « Hé, Vince », l'homme qui mangeait un beignet. Il vint signer aussi, puis ce fut le tour du docteur.

« Nora ne devrait-elle pas être témoin ? » demanda Mr Fenton, et son père approuva : « Je pense que la signature de cette jeune personne nous serait utile », comme s'il ne l'avait jamais vue. Pour autant que Nora sache, tous les renseignements inscrits étaient exacts, aussi les cosigna-t-elle.

Son père s'assit à la place qu'avait occupée Vince, épousseta quelques miettes et introduisit un papier couleur crème dans une grande machine à écrire cliquetante, très probablement plus âgée que Nora. Quand il eut fini de répéter les noms et les dates du registre, il apposa un cachet rouge sur le certificat et le rapporta au comptoir pour le faire signer. Les mêmes témoins écrivirent leurs noms, mais il sembla que seule Nora vit les erreurs de son père : il avait tapé « Nell » au lieu de « Neil », « Frenton » pour « Fenton » et il s'était trompé d'un an pour la date de naissance, ce qui donnait à « Nell Frenton » l'âge de quinze mois. Les hommes signèrent le certificat sans le lire. Si elle et son père s'étaient trouvés seuls, elle aurait pu lui indiquer les fautes, mais il n'était pas question, bien sûr, de mettre ses faiblesses en évidence devant des inconnus.

Le docteur remisa son stylo et dit : « Le nom de Neil me plaît. » Il parlait à Mr Fenton en anglais et ne s'adressait ni à Ray ni à Nora. Pourtant, lui et le père de Nora paraissaient se connaître. On sentait entre eux l'aisance née d'une familiarité, peut-être un rien méfiante. Mr Fenton se rapprochait plus du genre d'hommes avec lesquels son père devait aller aux courses. Elle les imaginait sans peine discutant à l'infini de paris et de chevaux.

La plupart des bébés que Ray avait la bonté de trouver

pour les couples malheureux étaient signalés par des médecins. Peut-être le docteur en faisait-il partie.

Ray et Mr Fenton convinrent que Mr Fenton et son ami passeraient prendre Nora le lendemain matin. Ils iraient tous les trois chercher l'enfant et le ramèneraient chez lui. Nora était invitée à déjeuner. En disant au revoir, Mr Fenton toucha son bras nu, par accident peut-être, et lui demanda de l'appeler « Boyd ». Rien dans son comportement ni dans son expression n'indiqua qu'elle l'avait entendu.

Ce soir-là, Ray et sa femme jouèrent aux cartes dans la cuisine. Nora était en train de repasser la robe en piqué empesée qu'elle allait porter le lendemain.

« Ils ont abandonné leur bébé pour le faire adopter, ou quoi ? demanda Nora.

— Il se peut qu'ils n'aient pas été prêts à avoir un enfant. Cela les a écrasés, répondit sa mère.

— Pitié ! s'exclama Ray. Mrs Fenton n'était pas en état de s'en occuper. Elle avait fait venir sa mère de Toronto parce qu'elle ne pouvait même pas tenir la maison. Ils ont cette domestique immigrée qui menace sans arrêt de rendre son tablier.

— Est-ce que ça l'ennuie d'avoir tout le temps sa belle-mère à la maison ? interrogea Nora.

— Non, pas du tout. » Nora pensa qu'il allait ajouter une remarque absolument anglaise, comme : « C'est elle qui a la fortune », mais Ray poursuivit : « Elle le soutient. Elle veut qu'ils restent ensemble. Ce bébé, c'est ce qui pourrait leur arriver de mieux.

— Se pourrait-il qu'on ait fait une confusion à la maternité ? suggéra la mère de Nora dans une nouvelle tentative. Les Fenton ont reçu quelque orphelin par erreur et leur propre bébé est parti à la pouponnière.

— Ensuite, on a connu la vérité », compléta Nora. Cela tenait debout.

« Attention, quand tu seras là-bas, ne fréquente pas cette bonne, avertit Ray. Elle ne parle même pas anglais. Si quelqu'un te dit de manger à la cuisine, je veux que tu rentres ici tout droit.

— Je ne quitte pas la maison, déclara Nora. Je ne suis pas sûre de vouloir retourner chez eux après-demain.

— Allons, fit Ray. J'ai promis.

— Toi, tu as promis. Pas moi.

— Laisse ta robe sur la planche à repasser, dit sa mère. Je ferai les plis. »

Nora débrancha le fer et alla se poster derrière son père. Elle mit les mains sur ses épaules. « Ne t'inquiète pas. Je ne vais pas te trahir. Tu pourrais aussi bien abandonner la partie : j'ai vu le jeu de maman. »

3

Dans l'obligation de prendre le bébé des mains de Nora, Missy le tenait maintenant à bout de bras, dressé de telle façon qu'en aucun point il puisse entrer en contact avec son tablier blanc. Nora pensa : il hurle à en mourir. Le visage de Missy annonça qu'elle n'appréciait pas la plaisanterie. Elle imaginait peut-être que Nora y avait été poussée par Mr Fenton, mais le rire de ce dernier disait autre chose : quels que fussent ses faux-pas jusqu'à présent, choisir Missy pour mère d'un Fenton n'en faisait pas partie.

« Vous feriez bien de le nettoyer tout de suite », conseilla Mrs Clopstock.

Missy, dont les silences étaient d'une puissance étonnante, parvint à laisser entendre que nettoyer Neil ne faisait pas partie de ses attributions. Elle répéta néanmoins, pour une raison quelconque, qu'un biberon était prêt, en fixant le docteur.

« Cet enfant est gravement déshydraté, indiqua-t-il, comme s'il répondait à Missy. Il faut lui donner à boire tout de suite. Il souffre de dénutrition et il est très en dessous de son poids normal. Comme vous le voyez, il a une diarrhée aiguë. Je prendrai sa température après le déjeuner.

— Est-il vraiment malade ? demanda Nora.

— Il faudra peut-être l'hospitaliser pendant quelques jours. » La solennité et la lenteur du docteur allaient croissantes.

« Hospitaliser ? protesta Mr Fenton. Mais nous venons juste de l'accueillir.

— Ce qu'il faut en premier, c'est le laver et le changer, réitéra Mrs Clopstock.

— Je vais le faire, intervint Nora. Il me connaît.

— Missy ne vous en voudra pas. »

Consciente d'un échange privé entre Mrs Clopstock et Missy, Nora ne bougea pas. Elle fut envahie par un désir enfantin de rentrer à la maison, loin de ces étrangers.

« Je vous en prie, dit Mrs Clopstock, allons tous nous asseoir. Nous restons debout ici comme si nous étions dans un hall d'hôtel.

— Je peux le faire, affirma Nora », et elle répéta : « Il me connaît.

— Missy sait où tout se trouve, trancha Mrs Clopstock. Venez donc, Alex, Boyd. Nora, ne souhaitez-vous pas vous laver les mains ?

— Moi aussi, je me sens déshydraté, plaisanta Mr Fenton. J'espère que Missy a mis quelque chose au frais. »

Nora regarda Missy monter l'escalier et disparaître après la courbe. Il va y avoir un chambard de tous les diables après ça, pensa-t-elle. Je serai partie.

« J'ai été très heureuse de faire votre connaissance, dit Nora. Il faut que je m'en aille maintenant.

— Voyons, Nora, s'interposa Mr Fenton. N'importe qui aurait pu faire la même erreur. Vous sortiez d'un soleil aveuglant. Le vestibule était sombre.

— Serait-il enfin possible d'aller s'asseoir? implora sa belle-mère.

— Bon, reprit-il, s'adressant toujours à Nora. Ça va. Vous en avez assez. Mangeons un morceau et puis je vous raccompagnerai chez vous.

— Il faudra peut-être que vous emmeniez Neil à l'hôpital.»

Mrs Clopstock prit le docteur par le bras. Elle était petite, vêtue de lin vert, avec des perles au cou et aux oreilles. Tante Rosalie aurait su tout de suite si elles étaient vraies. Ils se déplacèrent tous les deux de l'ombre du vestibule à celle d'une des pièces.

Mr Fenton les regarda partir. «Nora, insista-t-il, permettez-moi de prendre un verre d'abord, puis de vous raccompagner chez vous.

— Je n'ai pas besoin qu'on me raccompagne. Je peux prendre le bus de Sherbrooke et faire le reste du chemin à pied.

— Pouvez-vous me dire ce qui ne va pas? Ce ne peut pas être ma belle-mère. Elle est gentille. Missy est un peu brusque, mais elle est gentille aussi.

— Où est Mrs Fenton? Pourquoi n'est-elle même pas venue à la porte. C'est son enfant.

— Vous n'êtes pas sotte, dit-il. Vous n'êtes pas la fille de Ray pour rien. C'est le sien d'une certaine manière.

— Nous avons tous signé, protesta Nora. Je n'ai pas signé pour camoufler une histoire trouble. Je suis venue ici faire un geste chrétien. On ne m'a rien payé.

— Que voulez-vous dire par "rien"? Vous voulez dire pas assez?

— Qui est Neil? demanda-t-elle. Je veux dire, qui *est*-il?

— C'est un Fenton. Vous avez vu le registre.

— Je veux dire, *qui* est-il ?

— C'est mon fils. Vous avez signé le registre. Vous devriez le savoir.

— Je vous crois. Il a des yeux anglais.» Sa voix s'assourdit ; il fut obligé de lui demander de répéter quelque chose. «J'ai demandé : était-ce Ninette ?»

Il fallut à Mr Fenton une seconde ou deux pour comprendre ce qu'elle avait en tête. Il eut le même genre de rire bruyant que lorsqu'elle avait essayé de mettre le bébé dans les bras de Missy. «La petite demoiselle Cochefert ? Jusqu'à cet instant, je pensais que vous étiez la seule personne sensée de Montréal.

— Cela concorde, répliqua Nora. Je regrette.

— Eh bien, je vais vous le dire. Je ne sais pas. Il y a deux personnes qui savent. Votre père, Ray Abbott, et Alex Marchand.

— Est-ce que vous avez payé mon papa ?

— Le *payer* ? C'est pour *vous* que je l'ai payé. Nous n'aurions demandé à personne de s'occuper de Neil gratuitement.

— Pour Ninette, expliqua-t-elle. Je voulais simplement dire que cela concordait.

— Il y a cent femmes à Montréal qui concorderaient, si l'on va par là. La vérité, c'est que nous ne savons pas, sinon qu'elle était en bonne santé.

— Qui était la jeune fille dans la ruelle ? Celle dont vous parliez ?

— Une jeune fille qui n'était pas à sa place. Son père était directeur d'école.

— Vous l'avez dit. La connaissiez-vous ?

— Je ne l'ai jamais vue. Missy et Louise l'ont vue. Louise, c'est ma femme.

— Je sais. Combien avez-vous donné à mon père ? Pas pour Neil. Pour moi.

— Trente dollars. Il y a des hommes qui n'en gagnent pas autant en une semaine. Si vous êtes obligée de le demander, c'est que vous ne les avez pas reçus.

— Je n'ai jamais eu trente dollars d'un coup de toute ma vie. Dans ma famille, l'argent n'est pas un sujet de disputes. Nous nous en tenons à ce que dit mon père. Gerry et moi, nous avions un manteau neuf chaque hiver.

— Est-ce la fin de l'interrogatoire ? Vous auriez bien réussi comme flic. Je suis d'accord, vous ne pouvez pas rester. Mais auriez-vous la gentillesse de faire un dernier geste chrétien ? Vous laver les mains, vous recoiffer, vous asseoir et déjeuner ? Après, je vous mettrai dans un taxi et je paierai le chauffeur. Si vous ne voulez pas que je le fasse, c'est ma belle-mère qui le fera.

— Je pourrais vous aider à l'emmener à l'hôpital.

— Oubliez la famille Fenton. Le déjeuner marquera la coupure. »

Ray est rentré tard dans l'après-midi ; ils ont ensuite pris le thé et mangé des sandwiches à la table de la cuisine. Nora portait le vieux peignoir en tissu éponge blanc. Elle avait lavé ses cheveux et mis des bigoudis.

« C'était sans importance, il n'y avait pas de problème, répéta-t-elle. Il avait besoin d'un bilan de santé. Il était mal fichu. Je ne sais pas dans quel hôpital ils sont allés.

— Je pourrais m'informer, proposa Ray.

— Je crois qu'ils ne souhaitent pas qu'on y aille.

— Qu'est-ce que vous avez mangé au déjeuner ? demanda sa mère.

— Une soupe froide. Une viande froide. Une salade de fruits. Du thé glacé. Les hommes ont bu de la bière. Il n'y avait pas de pain sur la table.

— Fais passer le beurre de cacahuètes à Nora, dit Ray.

— As-tu rencontré Mr Fenton à cause de Ninette ?

interrogea Nora, ou le connaissais-tu avant ? As-tu connu le docteur Marchand en premier, ou Mr Fenton ?

— Le monde est petit, répondit son père. Quoi qu'il en soit, j'ai de l'argent pour toi.

— Combien ? demanda Nora. Non, ça ne fait rien. Je le demanderai si jamais j'en ai besoin.

— Tu n'auras jamais besoin de rien, répliqua Ray. Pas tant que ton vieux père est en vie.

— Tu sais, cette Mrs Clopstock, dit Nora. C'est la première personne de Toronto que j'aie jamais rencontrée. Je ne l'ai pas dévisagée, mais je l'ai bien regardée. Maman, à quoi reconnaît-on les vraies perles ?

— Elles ne devaient pas être vraies, affirma Ray. Les vraies seraient au coffre. Rosalie avait un rang de perles.

— Ils ont été obligés de les vendre à cause de Ninette, ajouta la mère de Nora.

— Tu pourrais t'informer du nom de l'hôpital, dit Nora. Il serait peut-être content de me voir. Il me connaît.

— Il t'a déjà oubliée, assura sa mère.

— Je n'en jurerais pas, protesta Ray. Je me rappelle quelqu'un penché au-dessus de mon landau. Je ne sais pas qui c'était, évidemment.

Il se rappellera que je l'ai pris dans mes bras, décida Nora. Il se rappellera l'odeur d'encens. Il se rappellera la grande porte et l'entrée dans le vestibule sombre. Moi, je vais essayer de me le rappeler. Je ne peux rien faire de plus.

« Quelle est la vérité vraie ? demanda Nora à Ray. Seulement ce qui est écrit sur le papier ?

— Nora, dit sa mère. Regarde-moi. Regarde-moi en face. Oublie cet enfant. Ce n'est pas le tien. Si tu veux des enfants, marie-toi. C'est compris ?

— C'est compris, répondit son père à sa place. Et si

vous vous habilliez, je vous emmènerais toutes les deux au cinéma. »

Il se mit à siffler, pas « Faut pas s'en faire », mais quelque chose de tout aussi décontracté.

Table des matières

La photocomposition de cet ouvrage
a été réalisée par
GRAPHIC HAINAUT
59690 Vieux-Condé

Achevé d'imprimer en mai 1994
sur les presses de l'Imprimerie Carlo Descamps
59163 Condé-sur-l'Escaut

35-67-9270-01/6
ISBN 2-213-59270-5
Dépôt légal : mai 1994
Numéro d'éditeur : 724
Numéro d'imprimeur : 8610

Imprimé en France